BAS KAST

DER ERNÄHRUNGS KOMPASS
DAS KOCHBUCH

BAS KAST

DER ERNÄHRUNGS KOMPASS
DAS KOCHBUCH

111 Rezepte
für gesunden Genuss

In Zusammenarbeit mit
MICHAELA BAUR

Fotografiert von
MIKE MEYER

C. Bertelsmann

Für Ellen

Was ist Kochen für mich?
Sich kümmern. Sich verwöhnen.
Jeden Tag aufs Neue.
Nicht nur die Zunge.
Den ganzen Körper.

Inhalt

Wie aus dem **Ernährungskompass** ein Kochbuch wurde

_Ehrlich? Ich hätte nie gedacht, dass ich jemals an einem Kochbuch mitwirken würde. Noch während ich diese Zeilen tippe, tu ich das nicht ohne Staunen. Allerdings auch mit einem Schmunzeln auf den Lippen. Wer lässt sich nicht gern (positiv) vom Leben überraschen? Dies ist alles so neu für mich, und ich mag Experimente, selbst wenn sie scheitern. Und wenn sie gelingen, wie – hoffe ich – in diesem Fall, ist es einfach nur großartig. Und was mich ganz besonders freut: Das hier ist das erste Buch von mir, das ich gewissermaßen als »Auftragsarbeit« schreibe, weil Sie, liebe Leserin, lieber Leser, es sich ausdrücklich gewünscht haben.

_Dazu muss ich kurz ausholen. Drehen wir die Uhr ein paar Jahre zurück. Ich war Anfang vierzig und soeben Vater geworden, als ich beim Joggen spürte, dass etwas mit meinem Herzen nicht in Ordnung ist. Es fing mit einem Herzstolpern an. Harmlos, dachte ich. Brauchst du nicht weiter ernst zu nehmen.

_Doch als ich dann wieder einmal losrannte, musste ich nach einem plötzlichen, massiven Stich in der Brust stehen bleiben. Besser gesagt, ich _wurde_ stehen geblieben. Es war, als würde eine stählerne Hand mein Herz umschließen und ruckartig zusammendrücken. Es war beängstigend, bedrohlich in einem existenziellen Sinne: Man steht da, vollkommen macht- und hilflos, und hofft, dass es vorübergeht. Dass man diesmal noch einmal Glück hat und – wie auch immer – davonkommt.

Wenn Essen uns krank machen kann, kann es uns dann auch heilen? So begann meine Suche.

_Das war der Beginn von allem. Ich fing an, über mich und meinen Lebensstil nachzudenken. Damals hatte ich noch nicht meine Ernährungsweise als mögliche Ursache meiner Herzbeschwerden im Verdacht. Natürlich spielte ich wiederholt mit dem Gedanken, einen Kardiologen aufzusuchen. Irgendwas in mir hielt mich im letzten Moment jedoch stets davon ab. Ich denke, ich wollte erst einmal selbst versuchen, etwas zu tun, auch wenn ich nicht wusste, was das sein sollte.

_Auf die Idee, meine Ernährung umzustellen, kam ich erst, als meine Schwester Ellen eines Tages auf Diät gegangen war. Ich habe meine Schwester noch nie so topfit gesehen! Eines Nachmittags gingen wir zusammen

joggen, und Ellen lief mir regelrecht davon. Wow, dachte ich, wie wäre es, wenn du *das* auch mal ausprobierst?

_Was ich tat. Und was dann geschah, hat mich nicht nur überrascht – es hat mein Leben verändert. Zwei, drei Wochen nach der eher provisorischen Umstellung (kein Junkfood mehr, kein Zucker, dafür jede Menge Salate, Nüsse und Gemüse) fühlte ich mich besser. Nein, die Herzbeschwerden waren nicht verschwunden, aber ich hatte das Gefühl, als würde sich mein Körper vor meinen Augen »generalüberholen«.

_Es ist fast ein bisschen peinlich, wenn das eigene Leben zum Klischee wird. Wer kennt nicht diese Erweckungsgeschichten, die das Leben in ein Vorher und ein Nachher trennen? Vorher war man blind, und nachher ist man erleuchtet! Was soll ich sagen? Ich bin zwar – davon gehe ich einfach mal aus – immer noch nicht erleuchtet, aber ich habe am eigenen Leib erfahren, welche Macht die Ernährung haben kann. Wie grundlegend eine Ernährungsumstellung das Leben zum Besseren wenden kann. Es ist eine Macht, die wir selbst, buchstäblich, in den Händen haben.

_Ich fühlte mich mit der Zeit immer fitter. Zugleich spürte ich diesen enormen Motivationsschub. Ich bin weiß Gott nicht der fleißigste Zeitgenosse.

Wie lautet die ideale Diät? Low-Carb? Low-Fat? Vegan? Paleo? Glutenfrei?

In diesem Fall aber musste mich niemand antreiben. Ich wollte es genauer wissen: Was zeichnet eine gesunde Ernährung aus? Low-Carb, Low-Fat, vegan, Paleo, glutenfrei – es gibt ja mittlerweile kaum eine Diät, die es nicht gibt. Jeder widerspricht jedem, und was gestern noch als heilsame Medizin galt, wird schon morgen wieder als gemeingefährliches Gift eingestuft, nur um kurz darauf eine 180-Grad-Rehabilitation zu erfahren, die uns staunend und ratlos in den Ausgangszustand zurückbefördert. Das »richtige« Essen ist, wie es scheint, die neue Religion geworden.

_Nicht für mich. Wenn man sich einfach »nur« heilen will, wenn es um die eigene Haut geht, die man retten will, interessiert man sich nicht für Glaubenskriege oder den letzten Diäthype aus Silicon Valley. Man interessiert sich für das, was *wirklich wirkt*.

_Also setzte ich mich hin, so gut wie jeden Morgen, mit einem starken Kaffee und ein paar Stückchen dunkler Schokolade, und fing an zu lesen. Zwanzig, dreißig Studien an einem guten Tag. Ich wollte mich durch die ganzen Mythen hindurchkämpfen, vordringen zu den Fakten. Ich dachte mir: Wenn du nur lange genug recherchierst, gelingt es dir hoffentlich irgendwann, das Chaos zu ordnen und die entscheidenden Zutaten der ultimativ gesunden Ernährungsweise zu identifizieren, auf wissenschaftlich solider Basis.

_So ging sie los, meine Entdeckungsreise in die faszinierend-komplexe Welt der Alters- und Ernährungsforschung. Ein Jahr verging, dann noch eins. Nach und nach schrieb ich nieder, was ich gelernt hatte, das Destillat meiner Recherche: das Buch *Der Ernährungskompass – Das Fazit aller wissenschaftlichen Studien zum Thema Ernährung*.

_Dann folgte die nächste Überraschung. Als Autor weiß man nie, wie das eigene Gekritzel ankommen wird. Bei diesem Buch jedoch hielten sich meine Erwartungen eher in Grenzen. Mehrere Verlage hatten das Konzept bereits im Vorfeld abgelehnt. Wie bitte? *Noch* ein Ernährungsbuch? Um Gottes willen!, dachten die Lektoren wohl (und vielleicht gar nicht mal so zu Unrecht). Aber ich konnte und wollte nicht aufgeben. Und zum Glück ging die wochenlange Suche nach einem geeigneten Verlag doch noch gut aus.

_Von einem möglichen Bestseller war aber auch beim Verlag C. Bertelsmann, in dem der *Ernährungskompass* schließlich erschien, nie die Rede (was bei einem weitgehend unbekannten Autor auch nicht verwunderlich ist). Die Erwartungen waren einfach realistisch, und das heißt: bescheiden, und so ging *Der Ernährungskompass* im März 2018 mit einer überschaubaren Auflage von ein paar tausend Exemplaren an den Start.

 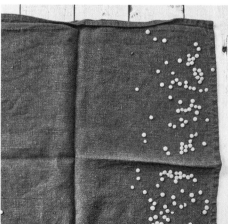 

_Um es kurz zu machen: Alle unsere Erwartungen wurden übertroffen. Das Buch war im Nu vergriffen. Es verkaufte sich so gut, dass der Verlag mit dem Drucken anfangs nicht nachkam. Nach drei Monaten hatten sich sage und schreibe 100 000 Exemplare verkauft – weit mehr, als die größten Optimisten angenommen hatten. Das alles war und ist übrigens ein surreales Erlebnis. Bis heute fällt es mir schwer, es wirklich zu begreifen. Man hört ja immer wieder von einem Bestseller hier und einem Verkaufsschlager dort, und dann auf einmal trifft dieses extrem seltene Glück *dich*.

_Ich wurde oft gefragt, wie ich mir diesen Überraschungserfolg erkläre. Im Nachhinein sagten manche: Ist doch klar, bei dem Thema! Was stimmt, einerseits. Andererseits wimmelt es ja nur so von Ernährungsbüchern (daher ja auch die anfänglichen Absagen). Warum also wollten so viele *dieses* Buch haben? Die ehrliche Antwort ist: Ich weiß es nicht wirklich. Ich würde Ihnen – zumal Sie gerade ein Rezeptbuch in Ihren Händen halten – wirklich gern das Erfolgsrezept verraten, aber letztlich tappe ich genauso im Dunkeln wie jeder andere auch.

Warum war das Interesse am Ernährungskompass so überraschend groß?

_So viel jedoch kann ich sagen: Je mehr ich mit Lesern in Kontakt kam, je zahlreicher die E-Mails mit Feedback zum *Ernährungskompass* wurden, desto klarer wurde mir, dass es vielen Menschen so ging und geht wie mir, als ich auszog, um für mein Buch zu recherchieren. Gott sei Dank leidet nicht jeder unter Herzbeschwerden, aber viele kümmern sich um ihre Gesundheit und sind, wie ich anfangs, verwirrt. Verunsichert. Sie fragen sich, was von all den widersprüchlichen Ernährungsbotschaften zu halten ist, was nun stimmt und was nicht. Sie wünschen sich einen unvoreingenommenen Überblick über die gesammelten Erkenntnisse. Eine No-Bullshit-Zusammenfassung zum Thema Diät und gesunde Ernährung, nicht mehr und nicht weniger.

_Anders als ich haben die meisten Menschen jedoch schlicht nicht die Zeit oder auch nicht den Nerv, sich jahrelang mit Tausenden von trocken geschriebenen Ernährungsstudien herumzuschlagen. Ich würde sogar sagen: Sie haben zum Glück etwas Besseres zu tun. Und so kam es wohl, dass zahlreiche Leser sich bei mir gemeldet und sich einfach nur bedankt haben dafür, dass ich diese »Mühe« auf mich genommen habe. Das alles hat mich sehr gefreut, aber auch hier musste ich oft schmunzeln. Denn für mich waren die Jahre der Recherche eigentlich keine große Strapaze. Ich recherchiere gern. Es ist mein Job, und ich liebe ihn.

_Da ich meine E-Mail-Adresse im Buch angegeben hatte, konnte ich mich irgendwann nicht über mangelnde Post beklagen. (Obwohl ich die ersten

*Die Autoren mit Heidrun Gebhardt, der Pressechefin des Verlages,
und Mike Meyer, dem Fotografen dieses Buches.*

Monate nach Erscheinen des Buches bis tief in die Nacht vor dem Computer saß und eine Mail nach der anderen beantwortete, musste ich angesichts der Flut von Nachrichten schließlich kapitulieren, weshalb die Adresse in den späteren Buchauflagen nicht mehr enthalten ist – stattdessen können Sie sich auf meiner Webseite *baskast.de* gern für meinen regelmäßigen Newsletter anmelden.) Viele Menschen haben mir ermutigende Erfolgsgeschichten, vielfältige Anregungen und die unterschiedlichsten Fragen geschickt.

_Besonders häufig wurde mir die Frage gestellt, ob ich nicht ein paar Rezepte in petto hätte. Rezepte im Sinne der Ernährungsempfehlungen, wie sie im *Kompass* stehen. Leider musste ich passen, denn außer ein paar unausgegorenen Gerichten, die ich mir als Hobbykoch zusammengewürfelt habe, hatte ich diesbezüglich wenig Vorzeigbares zu bieten. In der Küche bin ich halt nur ein – wenn auch leidenschaftlicher – Amateur …

_Schade, dachte ich, gerade auch weil ich davon überzeugt bin, dass der erste und entscheidende Schritt zu einer gesunden Ernährung eben darin besteht, selber zu kochen. Mit frischen Zutaten aus der Natur statt solchen aus der Lebensmittelindustrie.

_Also hat sich der Verlag auf die Suche nach einem Profi gemacht. Einem

Vollblut-Rezepte-Entwickler-Profi. Da fiel bald der Name Michaela Baur. Und so wurde ein Treffen im Münchner Verlagshaus organisiert. »Offen gestanden, ich komme überhaupt nicht aus der Gesundheitsecke«, sagte Michaela. »Ich komme pur vom Genuss.« Und ich dachte: Perfekt. So soll es sein. Es war genau das, was ich mir erhofft hatte.

_Michaela Baur ist jemand, bei dem das Sinnliche ganz und gar im Vordergrund steht. Jemand, für den es am wichtigsten ist, dass ein Gericht schlicht und einfach toll schmeckt. Wenn sie in der Küche loslegt, geht es nicht um Gesundheit, nicht darum, Eindruck zu schinden oder das Kochen neu zu erfinden. Es geht um Spaß. Geschmack. Genuss. Gut so, dachte ich, denn auf den Gesundheitsaspekt kann dann ja ich ein Auge haben. Das also war der Deal: Ich sorge dafür, dass die Zutaten der Gerichte nach *Kompass*-Art sind, und du, Michaela, du sorgst für den kulinarischen Hochgenuss. So ist dieses Kochbuch entstanden.

_Damit widerspricht dieses Kochbuch auch dem Klischee, dass es sich bei Gesundheit und Genuss um zwei hartnäckige Widersacher handelt. Ich sehe das inzwischen umgekehrt: Die Auseinandersetzung mit dem Thema Ernährung hat bei mir dazu geführt, dass ich viel bewusster einkaufe, mit Blick auf mir zuvor unbekannte Lebensmittel, Kräuter und sonstige Zutaten. Plötzlich wollte ich mit Belugalinsen und Kichererbsen kochen, wollte herausfinden, wie man eine frische Forelle mit einfachsten Zutaten schnell und lecker zubereitet oder einen Nachtisch macht, der umwerfend schmeckt, wie es sich gehört, und der trotzdem gesund ist. Mein kulinarisches Erleben hat sich auf diese Weise deutlich erweitert und tut es immer noch.

Das perfekte Gericht? Verwöhnt aus meiner Sicht eben nicht nur die Zellen der Zunge, sondern auch jede andere Körperzelle.

_Ich hoffe, dass es Ihnen ähnlich geht. So soll dieses Kochbuch nicht »lediglich« dazu beitragen, dass Sie so lange wie möglich von Altersleiden verschont bleiben – nein, es soll Ihr Leben insgesamt, auch sinnlich bereichern. Genuss und Gesundheit schließen sich eben nicht aus. Auf lange Sicht halten wir eine gesunde Lebensweise doch ohnehin nur dann durch, wenn wir uns damit nicht täglich abquälen müssen. Umgekehrt aber kann und sollte ein Gericht über den Gaumen hinaus idealerweise auch dem Rest des Körpers guttun. Dies wäre für mich die Definition eines »vollkommenen« Gerichts: Wenn die gute Wirkung sich nicht bloß auf die Zellen der Zunge beschränkt, sondern sich in *jeder* Körperzelle entfaltet.

_Kurz, Gesundheit und Genuss werden zwar oft gegeneinander ausgespielt, das muss aber nicht sein. Um Ihnen zu beweisen und Sie dafür zu begeistern, dass es auch anders geht, haben wir dieses Kochbuch für Sie zusammengestellt.

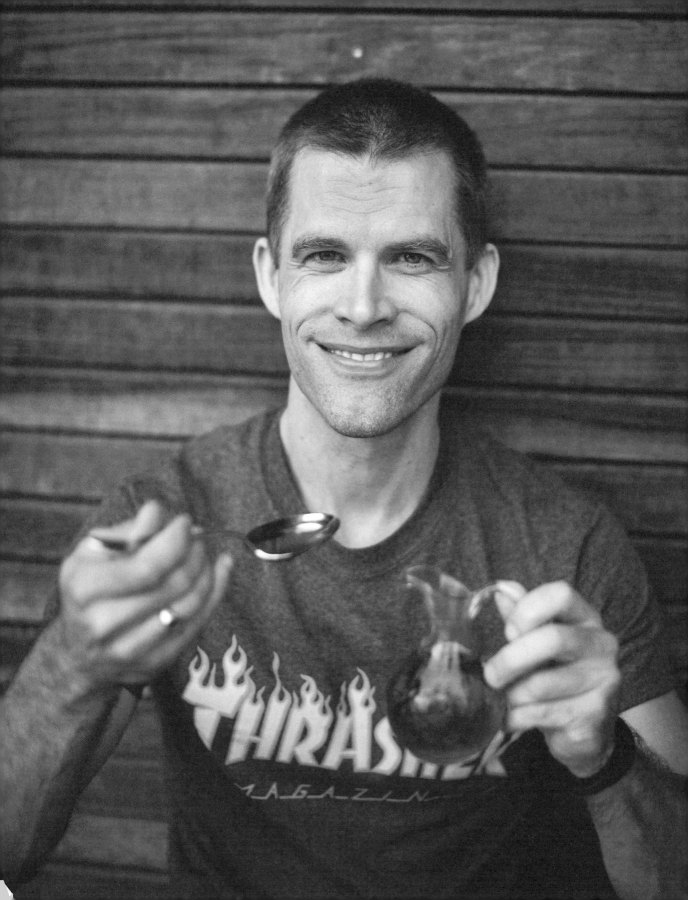

Auf der Suche nach der ultimativ gesunden Kost

_Ich habe ein paar Jahre Recherche für diese simple Erkenntnis gebraucht, aber: Inzwischen bin ich überzeugt davon, dass der ewige Streit zum Thema Ernährung beigelegt werden kann. Wir wissen heute zu gut 80 Prozent, was den Kern einer gesunden Kost ausmacht (für eine knappe, zusammenfassende Übersicht lesen Sie bitte die 10 goldenen Regeln auf Seite 26–27). Wird man weiterhin spannende Details entdecken? Zweifellos. Und klar, Diskussion ist stets willkommen. Über einige konkrete Lebensmittel oder Lebensmittelgruppen wird man vermutlich immer streiten. Das jedoch wird wenig an den Grundprinzipien ändern. Sie stehen fest. Also, wie sieht sie aus, die ultimativ gesunde Ernährung? Wie findet man das überhaupt heraus?

_Eine erste Orientierung geben uns jene Regionen dieser Welt, wo die Menschen ein ungewöhnlich hohes Alter erreichen. Wir kennen solche »Blauen Zonen«, wie sie genannt werden. Orte, wo besonders viele Hundertjährige leben, die oft auch noch erstaunlich fit sind. Flecken auf dieser Erde, wo die Menschen selbst im Alter relativ selten von jenen Leiden geplagt werden, mit denen wir so häufig – und manchmal erschreckend früh – zu kämpfen haben, wie Übergewicht, Diabetes, Herz-Kreislauf-Erkrankungen, Krebs oder Demenz. Wir haben uns so sehr an diese Altersleiden gewöhnt, dass sie uns fast schon normal vorkommen. Aber die Blauen Zonen geben uns eine Ahnung davon, dass es auch anders sein kann.

_Eine gut untersuchte Blaue Zone sind die Siebenten-Tags-Adventisten in den USA. Es handelt sich um eine protestantische Religionsgemeinschaft, die generell einen sehr gesunden Lebensstil pflegt (kaum einer raucht oder trinkt, man bewegt sich viel usw.). Adventisten leben immerhin bis zu zehn Jahre länger als ein Durchschnittsamerikaner. Was steht bei den Adventisten auf der Speisekarte?

_Nun, Unterschiedliches. Was aufschlussreich ist, denn innerhalb der Adventisten lässt sich noch einmal so etwas wie ein Langlebigkeitsranking erstellen, je nachdem, was sie essen. Dabei gibt es Überraschungen: Die

Vegetarier und Veganer leben beispielsweise länger als die Allesesser (ich hätte gedacht, dass eine ausgewogene Mischkost einer rein pflanzlichen und damit vermutlich restriktiveren Ernährungsweise überlegen ist). Am längsten jedoch leben die »Pescetarier« – jene Vegetarier, die mindestens einmal im Monat Fisch essen.

_Dies ist zwar nur ein erstes, kleines Beispiel. Dennoch halte ich es für sehr wichtig. Bei weiterer Recherche stellt sich nämlich heraus, dass die Adventisten – und speziell die Pescetarier unter ihnen – keine Ausnahme bilden. Sie sind vielmehr Teil eines wiederkehrenden Musters, das einem ins Auge springt, sobald man sich in die Ernährungsforschung vertieft. Deren Erkenntnisse weisen fast alle in die gleiche Richtung.

Selber kochen: der erste und fundamentale Schritt zu einem gesunden Leben

_Zunächst essen die Menschen in den Blauen Zonen – für mich die wichtigste Regel – allesamt »echtes«, naturbelassenes Essen. Essen, das auch Ihre Urgroßmutter noch als Nahrung erkannt hätte. Wenn Sie Ihre Ernährungsweise radikal verbessern wollen, dann können Sie noch heute damit anfangen, indem Sie jegliches Junkfood der Nahrungsmittelindustrie und überhaupt sämtliche Fertigprodukte, die mehr als vier, fünf Zutaten enthalten (zumal solche, die an ein Chemielexikon erinnern), aus Ihrer Küche verbannen. Kehren Sie zu ursprünglichem Essen zurück. Was in der Praxis heißt: Bereiten Sie Ihr Essen selber zu, am besten mit weitgehend frischen Zutaten. Kochen Sie!

_Ein Kochbuchautor, der uns zum Kochen rät – wer hätte das gedacht? Was für ein glücklicher Zufall! Ich habe es allerdings schon im *Ernährungskompass* geschrieben: Selber zu kochen ist nach meiner Einschätzung der fundamentale Schritt zu einer gesunden Ernährung. Warum? Weil selber zu kochen auf einen Schlag mehrere Probleme löst. Lassen Sie mich das kurz und beispielhaft erläutern.

Warum Junkfood dick und krank macht

_Was ist so schlimm an verarbeitetem Essen? Die Nahrungsmittelindustrie hat einerseits die Neigung, ausgerechnet jene Bestandteile der Nahrung, die unserem Körper guttun, ja, die unser Körper unbedingt braucht, systematisch aus ihren Produkten zu entfernen.

_Ein prominentes Opfer sind zum Beispiel die heilsamen Ballaststoffe. Erst in den letzten Jahren hat man entdeckt, dass sie gar kein »Ballast« sind, im Gegenteil. Man hat diese Bestandteile so genannt, weil wir sie nicht verdauen können. Gerade deswegen jedoch werden sie, wie wir heute wissen, zum Futter der Billionen von Bakterien in unserem Darm (die immerhin 1 bis 2 Kilo unseres Körpergewichts ausmachen).

_Diese Fütterung der Darmbakterien mit Ballaststoffen spielt auch eine überraschende Rolle beim Zu- und Abnehmen. Eine neue Theorie besagt, dass es zwei Formen von Hunger gibt: erstens »unseren« Hunger im engeren Sinne. Aber ist es nicht seltsam, dass wir trotz üppiger Speckröllchen immer noch einen Monsterappetit haben können? Wie ist das möglich? Antwort: Weil die Bakterien in unserem Darm immer noch hungrig sind und entsprechende Signale ans Gehirn senden.

_Tatsächlich sprechen mehr und mehr Erkenntnisse dafür, dass auch sie, die Darmbakterien (»Darmflora« oder auch »Mikrobiom« genannt), satt werden müssen, damit wir mit dem Essen aufhören. Und was naschen unsere Darmbakterien am liebsten? Richtig, Ballaststoffe, just jene Substanzen, welche die Industrie ihren Produkten entzieht. Auf diese Weise hinterlässt uns Industrie-Food – so fettig und/oder verzuckert und damit kalorienreich es auch sein mag – chronisch hungrig, weil es den Appetit unserer Darmbakterien nicht stillt. Beispiele für ballaststofffreie Industrienahrungsmittel sind übrigens nicht nur Süßigkeiten und Gebäck, sondern auch Fertigpizza, Weißbrot und die üblichen 100 %-Fruchtsäfte.

_Auf der anderen Seite reichert die Industrie ihre Produkte mit allerlei schädlichen Zusatzstoffen an. Ballaststoffe raus, Chemie rein! Chemie, aber beispielsweise auch Zucker und Salz. Die Industrie verzuckert längst so gut wie jedes Lebensmittel, angefangen mit Bio-Tomatensoße über Joghurt bis hin zur Wurst oder zum Rotkraut im Glas (die übelsten Zuckerbomben sind natürlich die Softdrinks, wie Cola, Fanta, Spezi usw.). Die Folge ist, dass wir dauerhaft viel zu viel Zucker zu uns nehmen.

_Schluss mit dem Industrie-Food also! Das wäre ein guter Anfang. Aber man kann selbstverständlich noch ein ganzes Stück weitergehen, um sich richtig gesund zu ernähren.

Gemüse ist das neue Fleisch

_Womit wir noch einmal zu den Blauen Zonen zurückkehren sollten. Denn wenn man sich diese Regionen der Langlebigkeit anschaut, fällt auch auf, dass die Menschen dort *durchwegs* eine überwiegend pflanzenbasierte Kost zu sich nehmen (und nein, die Inuit sind kein Gegenbeispiel, weil sie eben nicht besonders lange leben, weshalb sie auch nicht zu den Blauen Zonen zählen).

_Das heißt nicht, dass wir alle zu Vegetariern oder Veganern werden müssen, um auf fitte Weise alt zu werden. Die Dosis macht das Gift. Dennoch, als grobe Faustregel kann man die gesammelten Befunde der Ernährungs- und Altersforschung wie folgt zusammenfassen: Fleisch sollte eher die Beilage eines Gerichts bilden (und ich sage das als ehemaliger Fleischfan – früher kam bei mir praktisch jeden Tag Fleisch auf den Tisch, und wenn nicht, gab's schlechte Laune).

Okay, Gemüse ist gesund, klar. Aber kann man damit auch feiern?

_Darf Fleisch auch mal im Rampenlicht stehen? Klar. Tut es bei mir ein paarmal im Jahr, wenn die ganze Familie sich am langen Holztisch versammelt hat und es etwas zu feiern gibt. Nebenbei gesagt, auch beim Fleisch gilt: Vor allem die stark verarbeiteten Fleischprodukte (Wurst, Schinken, Salami, Hotdogs etc.) haben sich wiederholt als schädlich erwiesen. Unbehandeltes Fleisch von Tieren, die selbst gesund und artgerecht gelebt haben, würde ich in moderaten Dosen als weitgehend »neutral« einstufen – kann man essen, muss man nicht.

_Der eigentliche Star im Alltagsleben jedoch sind bei mir die Pflanzen geworden, in all ihrer Vielfalt, mit ihren prächtigen Farben und unzähligen Aromen – und ihren äußerst heilsamen Substanzen. Pflanzen wehren sich gegen allerlei Gefahren oder »Stressfaktoren«, etwa gegen aggressive Sonnenstrahlung oder gegen einen Pilzbefall, mit einem Arsenal von Verteidigungswaffen. Eine Olive zum Beispiel kann sich bekanntlich gegen Sonnenstrahlung nicht mithilfe einer Sonnenschutzcreme mit Lichtschutzfaktor 50 wehren. Bei einem Mikrobenangriff ist Wegrennen keine Option. Der armen Olive bleibt in der Not nichts anderes übrig, als sich mit chemischen Stoffen (Phytochemikalien) zu verteidigen. Und eine Vermutung geht dahin, dass der Schutz dieser Wehrstoffe auf uns übergeht, sobald wir uns die Olive oder auch ein hochwertiges Olivenöl einverleiben.

Tatsächlich gibt es Befunde, die darauf hindeuten, dass uns der Verzehr von Olivenöl vor Hautalterung aufgrund von UV-Strahlung schützen könnte. _Pflanzenbasierte Lebensmittel – Gemüse, Salate, Nüsse und Obst, auch pflanzliche Öle wie Oliven-, Raps-, Lein- und Sonnenblumenöl – bilden den Kern einer gesunden Ernährung. Nur kann man mit Pflanzen auch feiern? Lässt sich mit Gemüse ein Festmahl zubereiten? Braucht man dazu nicht einen Braten? Für mich war das lange Zeit eine ziemliche Herausforderung. Aber mittlerweile kann ich Ihnen versichern: Es geht, gut sogar, und mit etwas Übung geht es immer besser …

_In allen Blauen Zonen bildet lokales, saisonales Gemüse die Basis der Ernährung. Dazu gesellen sich oft auch die herrlichen Hülsenfrüchte, wie Linsen, Bohnen oder Kichererbsen, die sich ebenfalls in diversen Studien als ausgesprochen heilsam herausgestellt haben. Ich habe früher nie Linsen gegessen, heute kommen sie bei mir jede Woche auf den Tisch.

_Ich esse heute auch viel mehr Nüsse und Samenkerne als früher. Einst als »Kalorienbomben« verschrien, wissen wir inzwischen, dass Nüsse nicht nur nicht fett machen, nein, sie können nachweisbar auch beim Gewichthalten helfen. Außerdem senken ein, zwei Handvoll Nüsse täglich das Sterblichkeitsrisiko. Besonders schön dabei ist, dass dies für alle Nüsse zu gelten scheint. Sie können also gern jene essen, die Ihnen am besten schmecken.

_Zu guter Letzt noch ab und zu einen köstlichen (fettreichen!) Fisch genießen – und dann hat sich die Sache beinahe schon: So ungefähr ließe sich die ultimativ gesunde Ernährung grob skizzieren.

Heilsame Fische, schädliche Fische

_Was Gemüse und Obst betrifft, gibt es kaum Dissens. Beim Fisch schon eher. *Muss* man unbedingt Fisch essen, um gesund alt zu werden? Dazu ist das letzte Wort noch nicht gesprochen. Der Großteil der Befunde jedoch weist derzeit darauf hin, dass regelmäßiger Fischkonsum (einmal die Woche genügt) Alterungsprozesse in unserem Körper bremsen könnte. So haben Fischesser Gehirne, die von ihrer Struktur her ungewöhnlich »jung« aussehen. Hierzu passt auch, dass Fischkonsum mit einer besseren Gedächtnisleistung im Alter einhergeht.

_Der Teufel liegt bei alledem im Detail. Als gesund erweisen sich vor allem die fettreichen Fische, wie Lachs, Hering, Makrele und Forelle – wahrscheinlich aufgrund der berühmten Omega-3-Fettsäuren. Von anderen Fischen jedoch, wie Alaska-Seelachs oder Pangasius, rate ich ab (ebenso wie von frittiertem Fisch). Pangasius etwa stammt von Fischfarmen in Vietnam, wo die hygienischen Zustände nicht eben vorbildlich sind. Pangasius enthält praktisch keine Omega-3-Fettsäuren, dafür steckt er voller Quecksilber und anderer Gifte.

_Außerdem gilt die Faustregel: Wild ist besser als Zucht. Und im weiteren Sinne ist es selbstverständlich sinnvoll, Fische aus nachhaltiger Fischerei zu wählen, also zum Beispiel MSC-zertifiziert (MSC steht für »Marine Stewardship Council«, es handelt sich um eine gemeinnützige Organisation, die sich für nachhaltige Fischerei einsetzt – nicht perfekt, aber ein vernünftiger Anfang. Eine strengere Alternative bietet der Greenpeace-Ratgeber, den man im Internet runterladen kann, wobei auch der aus meiner Sicht nicht immer richtig liegt, etwa wenn er leider Pangasius aus Vietnam als okay einstuft).

_Ich finde es erschreckend, in welch rücksichtsloser Weise wir die Gewässer und Ozeane verschmutzen (Beispiel Plastikmüll!), und verfolge diese Entwicklung mit großer Sorge. Eines Tages mag sich die Situation dermaßen zuspitzen, dass man auch Fisch nicht mehr guten Gewissens empfehlen kann. Womöglich haben wir diesen Punkt bald erreicht; es ist momentan wirklich schwierig, dies aufgrund solider Daten zu beurteilen. Bislang allerdings wird Fisch in den empirischen Befunden nahezu durchweg positiv beurteilt. Noch also halte ich an meiner Empfehlung fest, einmal pro Woche ein Fischgericht zuzubereiten. Ist das nun ein absolutes Muss oder nicht? Nein, ist es nicht. Wer keinen Fisch mag, dem würde ich raten, vermehrt pflanzliche Omega-3-Quellen zu sich zu nehmen, etwa in Form von Walnüssen, Chia- und Leinsamen, Lein- oder Rapsöl – alles Lebensmittel, die ich uneingeschränkt empfehlen kann.

Milchprodukt ist nicht gleich Milchprodukt

_Ein weiteres komplexes Thema sind die Milchprodukte. Auch hier kann man nicht alles über einen Kamm scheren. Milch selbst etwa erweist sich als weniger gesund, als viele denken. Milch ist ein Wachstumsgetränk, von der Natur »erfunden«, um einen Säugling schnell wachsen zu lassen. Wir Erwachsenen aber (das Wort suggeriert es) wachsen bekanntlich nicht mehr allzu sehr. Was wächst stattdessen in unserem Körper? Nun, nicht zuletzt Krebs. Milch enthält einen Wachstumsfaktor namens IGF-1 (»insulin-like growth factor 1«), und wir wissen, dass Milchkonsum mit einer erhöhten Zirkulation von IGF-1 in unserem Körper einhergeht. IGF-1 wiederum ist, jedenfalls bei dauerhaft erhöhten Werten, eine Art Düngemittel für Krebs.

_Wir müssen aber – das zumindest legen die Daten nahe – unterscheiden. So haben Studien mehrfach einen bemerkenswerten Unterschied offenbart zwischen Milch einerseits und fermentierten Milchprodukten, wie Joghurt, Kefir und Käse, andererseits. Vor allem Joghurt fällt häufig positiv auf. In einer großen Harvard-Studie erwies sich Joghurt sogar als »Schlankmacher« Nr. 1!

_Joghurt ist nicht einfach bloß dickflüssige Milch. Joghurt ist Milch, die von Milchsäurebakterien teilweise vorverdaut (»fermentiert«) wurde. Interessanterweise bauen diese Bakterien beim Fermentieren auch den Wachstumsfaktor IGF-1 ab. Dies könnte mit ein Grund dafür sein, weshalb Joghurt gesünder ist als Milch. Außerdem scheinen sich die Milchsäurebakterien günstig auf unsere Darmflora auszuwirken, mit wiederum heilsamen Wirkungen auf unseren gesamten Körper.

_Was mich betrifft, sind das erfreuliche Erkenntnisse, denn ich liebe Naturjoghurt mit Lein- oder Chia-Samen, Haferflocken, ein

Was macht Joghurt – im Gegensatz zu Milch – so besonders?

paar Blau- oder Erdbeeren und darübergestreut einige Raspel dunkler Schokolade. Außerdem wirkt ein Löffel Joghurt erstaunlich erfrischend bei so manchem Mittag- oder Abendessen, etwa bei Linsengerichten. Linsen sind ja irgendwie ernste Zeitgenossen; sie haben, wahrscheinlich aufgrund der vielen Ballaststoffe und Proteine, etwas Schweres an sich – doch ein Klacks Joghurt dazu, und schon wird das Ganze angenehm leicht. Herrlich!

Fett macht nicht fett

_Da ich die grundsätzlichen Erkenntnisse über eine gesunde Ernährung im *Ernährungskompass* ausführlich beschrieben habe, möchte ich hier nicht mehr zu sehr ins Detail gehen. Einen hartnäckigen Mythos will ich aber doch noch aufgreifen, weil er fürs Kochen und für den Geschmack so relevant ist: Es geht um das Thema Fett.

_Haben Sie schon einmal versucht, eine fettige Pfanne nur mit lauwarmem Wasser sauber zu bekommen? Eine lästige Aufgabe, das Fett ist hartnäckig, es bleibt in der Pfanne kleben, man kriegt es nicht weg. So ist das auch in Ihrem Gaumen. Fett sorgt dafür, dass die Aromastoffe eines Gerichts am Gaumen haften bleiben und sich voll entfalten können, statt sofort runtergespült zu werden. Fett wird auf diese Weise zu einem natürlichen Geschmacksverstärker. Ich komme in der Küche jedenfalls nicht ohne ein köstliches Olivenöl aus (wer sich über meine Webseite *baskast.de* für meinen Newsletter anmeldet, bekommt Empfehlungen für besonders hochwertige Olivenöle zugeschickt). Auch sonst liebe ich fettreiche Lebensmittel wie Avocados, Nüsse oder einen guten Büffel-Mozzarella.

_Leider herrscht nach wie vor eine weit verbreitete Fettphobie vor, die in die Welt kam, weil Fett der kalorienreichste Nährstoff ist. Fett macht fett, lautete deshalb lange die Losung. In so manchem Diätratgeber hieß es demzufolge: Du kannst nicht fett werden, wenn du kein Fett isst. Vergessen

Sie diesen Satz bitte sofort wieder! Heute ist klar, dass Nahrung uns weitaus mehr als lediglich Kalorien liefert. Ein Teil der Fettsäuren, die wir zu uns nehmen, wird zunächst gar nicht verbrannt, um unserem Körper Energie zu spenden. Nein, diese Fettsäuren werden in unseren Körper eingebaut, der ja selber ein recht fettreiches Gebilde ist.

_So bestehen die Hüllen unserer Körperzellen weitgehend aus Fettsäuren. Die Forelle, die Sie verzehren, wird also buchstäblich ein Teil von Ihnen. Die Omega-3-Fettsäuren im fettigen Fisch oder in den erwähnten pflanzlichen Quellen sind von ihrer Struktur her besonders »biegsam«, sie lockern Ihre Zellhüllen auf, die daraufhin ihre Funktionen besser ausüben können. Unter anderem deshalb sind Omega-3-Fettsäuren so gesund.

_Darüber hinaus hat man in den letzten Jahren eine weitere bahnbrechende Entdeckung gemacht: Manche unserer Körperzellen sind eigens mit Sensoren ausgestattet, die ganz spezifisch auf diese Omega-3-Fettsäuren reagieren. Der biologische Vorgang ist spektakulär: Sobald eine Omega-3-Fettsäure an einen solchen Sensor andockt, setzt das in unseren Zellen eine biochemische Kaskade in Gang, die dazu führt, dass zahlreiche Gene an- beziehungsweise ausgeschaltet werden. Was wiederum in diesem Fall schädliche Entzündungsprozesse herunterfährt. Anders gesagt, der Fisch oder die Leinsamen, die Sie verzehren, kommunizieren in einer Art Molekularsprache mit Ihrem Körper und wirken geradezu medizinisch (viele Arzneimittel wirken auf ähnliche Weise).

Kompass-Ampel und Kompass-Pyramide: Auf einen Blick sehen, was gesund ist

_Mehr zu den biochemischen Details und Hintergründen erfahren Sie im *Ernährungskompass* – hier im Kochbuch soll es ja etwas praktischer zugehen. Und farbenfroher! Da mir im *Kompass* – außer Grün – keine Farben zur Verfügung standen, konnte ich vieles nicht realisieren, was erst mit diesem Kochbuch möglich geworden ist. So konnte ich jetzt ein »Ampelsystem« erstellen (Seite 36–39), mit dessen Hilfe die Zutaten nach den Farben Grün (schützend), Gelb (neutral) und Rot (schädlich) unterteilt werden. Bei den grünen Lebensmitteln können Sie sich nach Lust und Laune bedienen. Bei den gelben halte ich eine gewisse Zurückhaltung für angebracht, und die roten würde ich meiden.

_Zusätzlich, noch kompakter und ebenfalls neu, gibt es auf den Seiten 24–25 eine *Kompass*-Ernährungspyramide, die Ihnen auf einen Blick zeigt, wovon man mehr und wovon man weniger essen sollte.

_Tja, damit könnten Sie ja eigentlich gleich loslegen, oder? Ach so, Sie wissen noch nicht so recht, was Sie heute Abend essen sollen? Nun, wenn Sie etwas Zeit haben, versuchen Sie es doch mal mit dem Gewürz-Couscous auf Seite 80 oder den Fischfrikadellen auf Seite 158. Wenn es schneller gehen soll, dann wären meine Favoriten Ellens Linsensuppe (Seite 100), Dal mit Kichererbsen (Seite 135) oder die Nudeln mit Lachs-Spinat-Soße (Seite 93). Oder die Zucchinipuffer mit Tsatsiki (Seite 145). Ja, was mich betrifft, sind die Zucchinipuffer und ich ziemlich beste Freunde geworden.

Die Forelle, die Sie verzehren, redet in einer Molekularsprache mit Ihrem Körper.

DIE **KOMPASS-**
PYRAMIDE

Milch
Salz

Kartoffeln
Reis

Käse
Tofu

in Maßen:
Wein + Bier
zum Essen

als Snack:
sehr dunkle
Schokolade

Joghurt
Quark
Kefir

Wasser
Tee
Kaffee

Haferflocken
Vollkornbrot
Vollkornnudeln
Linsen
Bohnen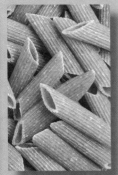

Sweet
Süßigkeiten
rotes Fleisch
red meet

Butter
Hühnchen
chicken

Eier
Egg

Meeresfrüchte
fettiger Fisch

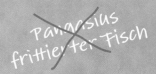

~~Pangasius
frittierter Fisch~~

Gemüse
Obst
Pflanzenöl
Nüsse
Samen

10 goldene Regeln
aus dem **Ernährungskompass***

1 Essen Sie echtes, naturbelassenes Essen Damit meine ich alles, was ohne Zutaten auskommt, wie Gemüse, Pilze, Hülsenfrüchte, Obst, Nüsse, Samen und Kräuter. Oder auch minimal verarbeitete Lebensmittel mit meist langer Tradition: Vollkornbrot, Vollkornnudeln, Haferflocken, Joghurt, Quark, Olivenöl, Kaffee, Tee. In Maßen genossen würde ich sogar Bier und Wein dazurechnen (Faustregel: maximal 1 Glas für Frauen, maximal 2 für Männer).

2 Pflanzen als Hauptspeise, Tierisches höchstens als Beilage Mehr Pflanzliches und weniger Tierisches ist das A und O einer gesunden Ernährung. Fast alle Pflanzen in ihrer natürlichen Form (also keine Chips, kein Weißmehl, kein Zucker) gehören mit zum Heilsamsten, was Sie essen können. Ausnahmen sind Kartoffeln – Süßkartoffeln sind die gesündere Alternative – und Reis, die den Blutzuckerspiegel rasant steigen lassen. Reis ist zudem häufig mit Arsen belastet (ich bevorzuge Basmati-Reis, der weniger belastet ist und den Blutzuckerspiegel nicht so schnell in die Höhe treibt wie insbesondere Jasmin-Reis).

3 Lieber Fisch als Fleisch Fettiger Fisch, wie Lachs, Hering, Makrele und Forelle, enthält reichlich Omega-3-Fettsäuren und ist deshalb eine ausgezeichnete Wahl. Kein Pangasius, kein Alaska-Seelachs, keine frittierten Fische! Zurückhaltung auch bei Thunfisch aufgrund der Quecksilberbelastung (gilt verschärft noch für Kinder und Schwangere). Wildfang bevorzugen. Zweite Wahl: Landhuhn oder Pute aus artgerechter Haltung. Rotes Fleisch aus artgerechter Haltung von grasgefütterten Tieren höchstens ab und zu. Keine verarbeiteten Fleischprodukte wie Wurst, Schinken und Salami.

4 Fermentierte Milchprodukte bevorzugen Joghurt ja, Käse okay, Milch eher so lala. Die entscheidende Frage bei Milchprodukten ist nicht, ob fettarm oder mit vollem Fettgehalt, sondern ob fermentiert (von Bakterien vorverdaut) oder nicht. Joghurt, Kefir und Quark sind empfehlenswert, Käse wäre meine zweite Wahl, Milch ist nach meiner Einschätzung weniger gesund und ab ungefähr zwei Gläsern täglich eher schädlich.

5 So wenig wie möglich Zucker Das Problem beim Zucker ist nicht unbedingt das Löffelchen Zucker, das Sie in den Kaffee oder Tee rühren. Vielmehr sind es die unzähligen verzuckerten Industrielebensmittel. Meiden Sie insbesondere Softdrinks wie Cola, Fanta & Co. Was die 100 %-Fruchtsäfte betrifft: 1 Glas täglich ist in Ordnung, aber mehr ist nicht empfehlenswert. Ganzes Obst ist am besten. Smoothies liegen irgendwo dazwischen, wobei ein täglicher Smoothie zum Frühstück oder als Nachtisch prima ist.

6 Keine Angst vor Fett! Fett macht nicht per se fett. Viele fettreiche Nahrungsmittel sind ausgesprochen heilsam, insbesondere kalt gepresstes Raps- und Olivenöl, Leinöl, Lein- und Chia-Samen, Samenkerne wie etwa Sonnenblumenkerne, auch Sonnenblumenöl (nicht die Margarine!), Avocados, Nüsse und die erwähnten fettreichen Fische. Käse ist, wie gesagt, ebenfalls in Ordnung.

7 Schlankmachertipp Nr. 1: Eiweißreiches sättigt Eiweiß sättigt uns nachweislich besser als andere Nährstoffe. Wer abnehmen will, sollte also etwas mehr Eiweiß zu sich nehmen. Gesunde Quellen sind: Hülsenfrüchte, Nüsse, Fisch, Quark, Joghurt. Übrigens enthält auch Gemüse oft relativ viel Eiweiß, speziell Brokkoli, Spargel und Spinat.

8 Schlankmachertipp Nr. 2: »Hirnschnupfen« mit Omega-3 lindern Omega-3-Fettsäuren steigern ebenfalls das Sättigungsgefühl. Übergewicht geht häufig mit Entzündungsprozessen einher, wovon auch das Sättigungszentrum im Gehirn (Hypothalamus) betroffen sein kann: So wie eine entzündete Nase bei einer Erkältung nicht mehr viel riecht, registriert der Hypothalamus die verzehrten Kalorien und angesammelten Fettdepots des Körpers nicht mehr. Omega-3-Fettsäuren wirken entzündungshemmend und lindern den »Hirnschnupfen«. Das Gehirn registriert die Kalorien wieder, der Hunger lässt nach. Gute Omega-3-Fettsäure-Quellen sind: fettiger Fisch, Rapsöl, Lein- und Chia-Samen, Walnüsse, Leinöl.

9 Schlankmachertipp Nr. 3: Das »kleine« Fasten Praktizieren Sie »Zeitfenster-Essen«, oft auch »Intervall-Fasten« genannt. Es ist nicht nur von Bedeutung, was wir essen, sondern auch, wann wir (was) essen. Eine recht einfache Methode, die dabei hilft, schlank und gesund zu bleiben, besteht darin, lediglich innerhalb eines bestimmten Zeitfensters zu essen, beispielsweise zwischen 8 und 20 Uhr (oder, noch strenger und vermutlich noch hilfreicher beim Abnehmen: von 10 bis 18 Uhr). Keine Kühlschrankattacken bei Mondschein!

10 Vitaminpillen: größtenteils überflüssig! Die meisten Vitaminpillen sorgen zwar bloß für besonders teuren Urin, manche jedoch (wie Vitamin A und eventuell auch Vitamin E) sind regelrecht schädlich. Ausnahme: Vitamin D_3. Ich empfehle 1000 bis 2000 Internationale Einheiten D_3, vor allem im Winter. Für Vegetarier und Veganer gilt: B_{12} oder ein B-Komplex.

Was unser Körper essen will, hängt auch von der Uhrzeit ab

_Wie nimmt man ab? Wie bleibt man schlank? Ganz einfach: Man muss nur weniger Kalorien aufnehmen, als der Körper verbraucht – schon purzeln die Kilos. »Energiebilanz« nennt man das Prinzip, und es gehört zu den zentralen Weisheiten der Ernährungswissenschaften. Dabei gilt: Eine Kalorie ist eine Kalorie, egal, von welchem Lebensmittel die Kalorie stammt oder – Thema dieses Textes – zu welcher Uhrzeit am Tag wir diese Kalorie zu uns nehmen.

_Klingt erst mal logisch, oder? Ja, schon, irgendwie. In den vergangenen Jahren jedoch hat man entdeckt, wie viel komplexer unser Körper tatsächlich tickt. Wie sich herausgestellt hat, ist der Körper mehr als eine reine Verbrennungsmaschine. Zum Glück, muss man sagen, denn die neuen Erkenntnisse können uns nicht zuletzt dabei helfen, wirkungsvoller und nicht ganz so qualvoll abzunehmen, unser Gewicht zu halten und gesund zu bleiben.

_Dazu etwas Hintergrundwissen: Was ist das überhaupt, eine »Kalorie«? Wie bestimmt man sie? Das geht wie folgt: Man nimmt eine Essensprobe, sagen wir eine Erdnuss, und steckt sie in einen Stahlbehälter, der mit purem Sauerstoff unter Druck gesetzt wird. Nun muss man die Erdnuss nur noch mithilfe von Elektroden – einer Art Blitzschlag – entzünden. Der Stahlbehälter befindet sich seinerseits in einem Behälter mit Wasser, dessen Temperatur man misst. Je stärker sich das Wasser erhitzt, desto mehr Energie enthält unsere Essensprobe, desto kalorienreicher ist sie. 1 Kilokalorie (kcal, man spricht vereinfacht von »Kalorie«) ist nichts weiter als jene Menge Energie, die man braucht, um 1 Kilo Wasser (1 Liter) um 1 Grad Celsius zu erwärmen.

_Sie sehen sofort das Problem, nicht? Einem Stahlbehälter ist es schnurzegal, *wann* man ihn mit der Essensprobe füttert. Für ihn ist eine Kalorie immer eine Kalorie, egal, ob morgens oder abends. Bei einem biologischen Organismus, der sich in einem jahrmillionenlangen Prozess der Evolution an die Erdrotation und damit einen Tag-Nacht-Rhythmus angepasst hat, ist dies jedoch nicht der Fall. So weiß man heute, dass im Körper Tausende von Genen je nach Tageszeit unterschiedlich aktiv sind, zum Beispiel in der Leber oder der Bauchspeicheldrüse. Man könnte sagen: Je nach Uhrzeit

> Einem Stahlbehälter ist es schnurzegal, wann man ihn füttert – einem biologischen Körper ganz und gar nicht.

sind wir ein biochemisch anderer Mensch, was ich als Morgenmuffel nur bestätigen kann.

_Am frühen Morgen zum Beispiel ist die Leber ganz und gar auf eine Speise eingestellt, sie erwartet sie geradezu genetisch, im Gegensatz zu spätabends oder nachts. Deshalb spielt das Timing unserer Ernährung durchaus eine Rolle. Ja, das Timing kann sogar über dick oder dünn und gesund oder krank entscheiden.

_Schauen wir uns den folgenden Versuch von Forschern des angesehenen Salk Institute for Biological Studies in San Diego an. Es gab zwei Mäusegruppen, beide vom genetisch gleichen Stamm. Beide Gruppen wurden wochenlang mit Junkfood gemästet. Dabei war nicht nur das Futter gleich, nein, die zwei Mäusegruppen aßen auch gleich viele Kalorien und bewegten sich ähnlich viel. Es gab bloß einen Unterschied: Die Mäuse der ersten Gruppe durften rund um die Uhr naschen. Der zweiten Gruppe stand das Junkfood lediglich 8 Stunden in der Nacht zur Verfügung – die restlichen 16 Stunden mussten diese Tiere fasten.

_Mäuse sind nachtaktiv, auf uns Menschen übertragen hieße das also, innerhalb eines limitierten Zeitfensters am Tag zu essen. Und jetzt kommt's: Die Mäuse der ersten Gruppe, die »Dauerfresser«, wurden zusehends fett und krank. Die Mäuse der zweiten Gruppe blieben schlank und gesund, und das, obwohl auch sie sich, genau wie die Nager der anderen Gruppe, richtig übel ernährten. Offenbar kommt es nicht bloß darauf an, was, sondern auch, wann wir essen.

Ob dick oder dünn, ist auch eine Sache des Timings.

Nicht Kalorien zählen, sondern Stunden

_Erste Erkenntnisse weisen darauf hin, dass diese Art von »Zeitfenster-Essen« oder »Intervall-Fasten« auch uns Menschen beim Abnehmen helfen kann – und überhaupt gesund ist. Ich selber esse deshalb von 8 Uhr morgens bis ungefähr 19, 20 Uhr abends, innerhalb eines Zeitfensters von maximal 12 Stunden also – was sich übrigens ziemlich einfach durchhalten lässt und fürs Gewichthalten auszureichen scheint. Wenn man Gewicht verlieren will, ist vermutlich ein etwas engeres Fenster von 8 Stunden (zum Beispiel von 10 bis 18 Uhr) geboten. Wenn man so will, ist Zeitfenster-Essen eine Form der »Diät«, bei der man keine Kalorien zählt, sondern Stunden.

_Wie funktioniert das? Warum sollte diese Form des Essens innerhalb einer beschränkten Zeit gut für uns sein? Aus mindestens zwei Gründen:

◉ Erstens unterstützt und festigt man damit den Schlaf-Wach-Rhythmus. Wenn man die Essensphase auf eine gewisse Zeit am Tag beschränkt, kommt man damit dem natürlichen, vom Tageslicht vorgegebenen Tag-Nacht-Rhythmus des Körpers entgegen. Sobald wir morgens aufwachen, wachen ja auch unsere Organe mit auf. Konfrontiert man sie jetzt mit Nahrung, werden sie nicht »kalt erwischt«, man kommt ihnen vielmehr entgegen. Unsere Organe sind bereit für ein Frühstück. Attackiert man hingegen um Mitternacht den Kühlschrank, ist das, als würde für unseren Magen, unsere Leber, unsere Bauchspeicheldrüse usw. die Sonne aufgehen (was sie nicht tut) und der Tag abrupt beginnen (was nicht der Fall ist). Tatsächlich legen wir uns kurz darauf mit gefülltem Magen wieder hin, und so gerät unser ganzer Biorhythmus durcheinander. (Bekanntlich stehen darüber hinaus die wenigsten von uns nachts mit einem Heißhunger auf Brokkoli auf, stattdessen plündern wir die letzten Cookies'n'Cream-Eisreserven oder den leckeren Wurstsalat mit Mayonnaise ...)

◉ Unser Körper braucht aber auch schlicht Zeiten, in denen mal *nicht* gegessen wird. Die Nacht ist dafür geradezu prädestiniert. Nicht umsonst sprechen die Angelsachsen vom »breakfast«: Am Morgen »bricht« man mit dem Fasten der Nacht (und ähnlich ist es beim spanischen Wort für Frühstück, »desayuno«; »ayunar« heißt nichts anderes als Fasten, und die Vorsilbe »des« drückt die Negation aus). Während wir schlafen und fasten, kommt unter anderem die Fettverbrennung auf Touren. Außerdem reinigen sich unsere Körperzellen während dieser Zeit und

verjüngen sich so von innen heraus. Mit dem Alter sammelt sich immer mehr molekularer Schrott in und um unsere Zellen an, der nachts teils beseitigt wird – ein wichtiger Vorgang, den man als »Autophagie« bezeichnet (ausführlicher beschrieben im *Ernährungskompass*).

_Halten wir fest: Sowohl für das Gewicht als auch für die Gesundheit kommt es nicht lediglich auf die Kalorien als solche an. Für beides spielt es auch eine Rolle, *wann* wir diese Kalorien zu uns nehmen. Wenn Sie mögen, experimentieren Sie doch einfach mal mit einer gewissen Form von zeitbeschränktem Essen. Ich tu es nun schon seit Jahren. Es ist wirklich einfach, schmerzlos und erstaunlich effektiv!

Morgens essen wie ein König, abends wie ein Bettler

_Gehen wir noch etwas mehr in die Details. Neben dem Zeitfenster, in dem wir essen, ist auch von Bedeutung, *wie viel* wir zu einem bestimmten Zeitpunkt essen. Eine alte Weisheit besagt ja, man solle frühstücken wie ein König, abends hingegen essen wie ein Bettler. Aus reiner Kaloriensicht, wo es wirklich nur um die Zahl der Kalorien geht, erscheint dies als blanker Unsinn: Wenn es bloß auf die Kalorien ankommt, kann man den Tag genauso gut – und dramaturgisch angenehmer – als hungriger Bettler starten, um ihn dann als wohlgesättigter König ausklingen zu lassen. Also, welche Hypothese stimmt: die alte Volksweisheit oder die moderne Kalorienzählerei?
_Forscher der Universität Tel Aviv haben die Probe aufs Exempel gemacht.

Übergewichtige Frauen wurden in zwei Gruppen geteilt. Alle bekamen eine Diät mit gleich vielen Kalorien verordnet, einziger Unterschied: Die erste Gruppe bekam ein großes Frühstück und ein bescheidenes Abendessen, bei Gruppe zwei war es genau umgekehrt (spärliches Frühstück, üppiges Abendessen). Nach zwölf Wochen Diät stand das Resultat eindeutig fest: Die Frauen der Gruppe mit dem großen Frühstück hatten im Schnitt pro Person gute fünf Kilo mehr verloren als jene mit dem großen Abendessen, außerdem sahen bei Ersteren auch die Blutfettwerte viel besser aus.
_Wie es scheint, ist an der alten Volksweisheit also etwas Wahres dran. Wirft man einen Blick auf die Forschungsbefunde insgesamt, kann man resümierend sagen, dass es sich als günstig erweist, die meisten Kalorien in der ersten Tageshälfte zu sich zu nehmen – bis, grob gesagt, ungefähr 15 Uhr.
_Im Alltag kann das natürlich für den einen oder anderen lästig werden (ich gehöre dazu). Wer 15 Uhr nicht schafft, sollte versuchen, sein Abendessen früher als sonst, so früh wie möglich zu verzehren. Oder man vergrößert sein Lunch auf Kosten des Abendessens.

_Selbst das ist für viele von uns im Alltag mit Beruf und Familie immer noch leichter gesagt als getan. Es gibt ja auch kaum etwas Gemütlicheres als das gemeinsame Kochen und Abendessen nach getaner Arbeit. Ich persönlich handhabe es deshalb folgendermaßen: Ich esse so früh es eben geht mit der ganzen Familie zu Abend. Meist schaffen wir es um 18 bis 18.30 Uhr herum. Danach gibt es höchstens noch ein letztes Gläschen Wein oder einen Nachtisch. Und dann ist Schluss! Um 19, spätestens 20 Uhr läute ich meine nächtliche Fastenperiode ein – ab da gibt es bei mir nur noch Wasser. Üblicherweise schlafe ich zwischen 23 und 24 Uhr ein, sodass zwischen dem letzten Bissen und dem Einschlafen bereits drei bis vier Stunden Fastenzeit liegen.

Im Laufe des Tages verwandeln wir uns alle in kleine Diabetiker, die nicht mehr so viel Zucker vertragen.

_Es geht hier nicht um die genauen Zahlen, die ja nur beispielhaft meinen Rhythmus veranschaulichen. Am besten ist es, Sie finden Ihren eigenen Rhythmus, der zu Ihrem Alltag passt und der für Sie nicht allzu sehr nach Verzicht schmeckt. Nur so halten Sie auch langfristig daran fest.

_Ich persönlich bin ja ein Fan der mediterranen Kost, die sich auch in diversen wissenschaftlichen Untersuchungen als sehr gesund herausgestellt hat. Viele entgegnen mir da allerdings: Okay, aber gerade in den Ländern rund ums Mittelmeer tafelt man doch häufig bis spät in die Nacht! Das stimmt, und ich sage dazu ganz klar: Selbst die Mittelmeerpraxis, so sehr ich sie mag, ist nicht perfekt. Erst kürzlich kam eine spanische Studie diesbezüglich zu einem aufschlussreichen Ergebnis: Spanier, die vor 21 Uhr zu Abend essen, haben ein niedrigeres Krebsrisiko gegenüber Landsleuten, die erst nach 22 Uhr speisen. Und wer sein Abendessen mindestens zwei Stunden vor dem Schlafengehen zu sich nahm, dessen Krebsrisiko war ebenfalls gesenkt. Am stärksten war der positive Effekt, wenn man beides kombinierte – frühes Abendessen *und* ein möglichst langes Intervall zwischen Abendessen und Schlafengehen. Daran versuche auch ich mich zu halten.

Abends schlägt die Stunde der Fette

_Kommen wir zum Schluss zum ultimativen Feintuning. In diesem Kochbuch haben wir die Rezepte nach Morgen, Mittag und Abend unterteilt. Dabei berücksichtigen wir eine weitere bemerkenswerte Entdeckung. Wie wir ja nun wissen, stehen unsere Organe morgens mit uns auf und erwarten Futter.

_Hier spielt das Hormon Insulin eine maßgebliche Rolle. Insulin treibt die Zuckermoleküle, die wir aus der Nahrung verdaut haben und die in unseren Blutkreislauf gelangen, vom Blut in unsere Körperzellen hinein. Außerdem speichert Insulin Fett. Nun hat man herausgefunden, dass die Insulinempfindlichkeit unserer Körperzellen morgens am höchsten ist. Je später es wird, desto weniger reagieren unsere Zellen auf das Hormon Insulin. Es ist, als würden wir uns im Verlauf des Tages zu einem Diabetespatienten *en miniature* verwandeln, der nicht mehr so viel Zucker verträgt.

_Auch diese Erkenntnis lässt sich für unsere Ernährungspraxis nutzen. Aufgrund der erhöhten Insulinempfindlichkeit am frühen Morgen verkraftet unser Körper Zuckerbomben zu diesem Zeitpunkt am besten. Mit »Zucker« meine ich in diesem Fall die ganze Kategorie der unterschiedlichen Zuckerformen, die man in der Fachsprache als »Kohlenhydrate« bezeichnet (auch dazu mehr im *Ernährungskompass*). Zu den üblichsten kohlenhydratreichen Lebensmitteln gehören: Fruchtsäfte, Brot, Kartoffeln, Reis und Nudeln.

_Bei den Kohlenhydraten ist es noch sinnvoll zu unterscheiden, wie schnell sie von unserem Körper verdaut werden. Wie rasch also der Zucker in unsere Blutbahn schießt. Besonders schnellverdauliche Kohlenhydrate sind die Fruchtsäfte, Brot und Kartoffeln. Wenn Sie auf Fruchtsäfte stehen: Am frühen Morgen wäre also der beste Moment für einen frisch ausgepressten Orangensaft.

_Nudeln bestehen ebenfalls in erster Linie aus Kohlenhydraten. Aufgrund ihrer Struktur jedoch werden sie vom Körper etwas langsamer abgebaut und verdaut. Die einzelnen Zuckermoleküle werden nur nach und nach an die Blutbahn abgegeben, was wiederum eine nicht ganz so starke

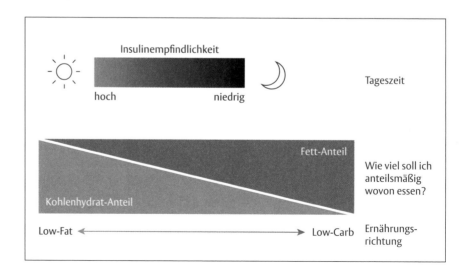

Insulinantwort provoziert. Nudeln – bevorzugt Vollkornnudeln – eignen sich somit gut als Mittagessen, als nicht allzu riesige Beilage auch abends.

_Reis wäre eher meine zweite Wahl, und hier nicht Jasmin-Reis (der den Blutzuckerspiegel extrem rasant ansteigen lässt), sondern Basmati-Reis. Bei Reis muss man außerdem bedenken, dass er häufig mit Arsen belastet ist (auch davon ist Basmati weniger betroffen als andere Sorten). Die Zubereitungsmethode macht einen Unterschied: Am besten, man wäscht den Reis mit viel Wasser und kocht ihn dann in einem großen Wassertopf, wie Nudeln. Auf diese Weise lässt sich ein Großteil des Arsens herausspülen.

_Sehr empfehlenswert im Hinblick sowohl auf die Gesundheit als auch auf die Linie sind Hülsenfrüchte, wie Linsen, Bohnen und Kichererbsen. Auch sie enthalten zwar reichlich Kohlenhydrate, diese aber werden nur sehr gemächlich vom Körper verdaut. Insofern kann man Hülsenfrüchte im Grunde bedenkenlos den ganzen Tag über essen. Nicht umsonst haben wir in diesem Kochbuch jede Menge Linsengerichte zusammengestellt! Dazu kann man dann auch gut mal eine Portion fettigen Fisch essen.

_Fette sind für die Verarbeitung weniger vom Hormon Insulin abhängig. Und da die Empfindlichkeit für Insulin im Laufe des Tages nachlässt und wir uns, überspitzt formuliert, in einen kleinen Diabetiker verwandeln, erscheint es aus dieser Sicht als optimal, in den abendlichen Stunden etwas mehr auf Fett zu setzen. Also idealerweise auf Nüsse, Salate mit Olivenöl-Dressing, Käse, Avocados und dazu dann praktisch jede Form von Gemüse (die zwar *relativ* viel, absolut aber meist wenig Kohlenhydrate enthalten, kombiniert mit reichlich Ballaststoffen) sowie sämtliche Speisepilze. Wichtig: Bitte interpretieren Sie diese Empfehlungen nicht allzu sklavisch, es geht hier wirklich nur um eine grobe Orientierung.

_Bevor nun die abendliche Fastenzeit beginnt, gönnen Sie sich doch noch ein kleines Blaubeer- oder Erdbeersorbet (Seite 201). Ein Früchtesorbet? Aber besteht das nicht auch aus Kohlenhydraten? Doch, schon, nur erstens enthalten Beeren im Vergleich zu anderen Früchten recht wenig Zucker. Also, die Sünde hält sich wirklich in Grenzen. Und schließlich befinden wir uns ja nicht in der Kirche, sondern in der Küche. Im Hier und Jetzt. Im Leben. Und da sollte man sich einen kleinen Nachtisch nie nehmen lassen. In diesem Sinne: Viel Vergnügen beim Zubereiten, Kochen, Entdecken. Und, last but not least, beim Genießen.

Alle Mengenangaben beziehen sich auf 4 Personen.

DIE **KOMPASS**-AMPEL

Grüne Lebensmittel
Hier kann man guten Gewissens zulangen

Gelbe Lebensmittel
Kann man essen, muss man nicht

Rote Lebensmittel
Lieber meiden

Auf den folgenden Seiten habe ich versucht, eine Auswahl üblicher Lebensmittel grob danach einzustufen, ob man sie mehr oder weniger unbegrenzt essen kann (grün), ob man sich eher etwas zurückhalten (gelb) oder die Lebensmittel am besten ganz meiden sollte (rot). Oft stöhnen einige meiner Freunde allzu voreilig, wenn ich ihnen von der einen oder anderen Ernährungsstudie erzähle. Dann heißt es nicht selten: Ja, herrje, Bas, was darf man denn heutzutage überhaupt noch essen? Nun, eine ganze Menge, wie Sie sehen. Ich persönlich meide ziemlich rigoros das Junkfood der Industrie, Süßigkeiten und überhaupt allzu Zuckerhaltiges sowie verarbeitetes Fleisch. Das war's dann schon auch. Wer jetzt noch nörgelt, sollte schnell zu den Rezepten weiterblättern und sich inspirieren lassen!

Grüne Lebensmittel

GEMÜSE
z.B. Brokkoli, Rosenkohl, Grünkohl, Blumenkohl, Spinat, Tomaten, Karotten, Zucchini, Sauerkraut, Zwiebeln, Kürbis, Avocado, Rettich, Lauch, Oliven (Vorsicht bei eingelegten Oliven: extrem viel Salz!), Blattsalat wie Feldsalat oder Romana, Süßkartoffeln, Spargel, Mairübchen, Gurken, Topinambur, Pastinake, Stangensellerie, Spitzkohl, Weißkohl, Rotkohl, Fenchel, Schwarzwurzeln, Rote Beete, Rhabarber, Radieschen, Paprika, Kohlrabi, Zuckerschoten, Auberginen

HÜLSENFRÜCHTE
z.B. Linsen, Bohnen, Erbsen, Kichererbsen (Hummus)

SPEISEPILZE
z.B. Champignons, Shiitake, Austernpilze

OBST / FRÜCHTE
z.B. Blaubeeren, Erdbeeren, Himbeeren sowie alle weiteren Beeren, Apfel, Birne, Trauben, Banane, Mango, Grapefruit, Pflaume, Pfirsich, Aprikose, Orange, Rosinen, Kokosnuss, Kokosraspel, Datteln, getrocknete Früchte

NÜSSE
z.B. Walnüsse, Pistazien, Mandeln, Erdnüsse, Cashew-Nüsse, Pekannüsse, Paranüsse, Macadamia

SAMEN
z.B. Leinsamen, Chia-Samen, Flohsamen, Hanfsamen, Sonnenblumenkerne, Kürbiskerne, Pinienkerne

GETREIDEPRODUKTE
z.B. Hafergrütze, Haferflocken, Vollkornbrot (bevorzugt grobkörnig), Sauerteigbrot mit möglichst hohem Vollkornanteil, Vollkornspaghetti, Bulgur, Vollkorn-Couscous, Quinoa, Amarant, Weizenkeime, Einkorn, Emmer, Kamut, Dinkel, Roggen, Gerste, Hirse

MILCHPRODUKTE
z.B. Joghurt, Kefir, Quark, Schafskäse, Ziegenkäse, Skyr, Dickmilch, Sauerrahmbutter

FISCH
z.B. Lachs, Hering, Makrele, Forelle, Sardellen, Muscheln, Krabben, Garnelen, Austern (Achtung: Aufgrund von möglichen Infektionen keine Muscheln und rohe Austern für Schwangere!)

ÖLE
z.B. hochwertiges (kalt gepresstes) Olivenöl (also extra nativ oder extra vergine), kalt gepresstes Rapsöl, Sonnenblumenöl (nicht die Margarine!), Leinöl, Avocado-Öl, Kürbiskernöl

GETRÄNKE
z.B. Wasser, Grüner Tee, Schwarzer Tee, Weißer Tee, Filterkaffee

GEWÜRZE
Alle frischen Kräuter wie Rosmarin, Thymian, Petersilie & Co. sowie auch eher Exotisches wie Kurkuma, Ingwer, Zimt & Co. (Ceylon, nicht Cassia!)

ÜBRIGES
Dunkle Schokolade (90%), Tofu

Gelbe Lebensmittel

GEMÜSE
Kartoffeln (erste Wahl: festkochende, Zubereitung: gekocht ist besser als gebraten)

GETREIDEPRODUKTE
Weißer Reis, Vollkornreis (in beiden Fällen ist Basmati eine eher gute Wahl, kein Jasmin!), Mais, Weißbrot, Brezel

FISCH
Thunfisch, Seezunge, Schwertfisch

FLEISCH
Hühnchen, Pute aus artgerechter Haltung (zweite Wahl: Wild, Lamm, Rind- und Schweinefleisch aus artgerechter Haltung)

SÜSSES
Honig, Stevia, Xylit, 100%-Fruchtsäfte

GETRÄNKE
Bier, Wein, Espresso

KOKOS
Kokosöl, Kokosmilch

MILCHPRODUKTE
Butter, Buttermilch, Crème fraîche, Molke, Sahne, Schmand, Süßrahmbutter, Butterschmalz

SONSTIGES
Eier, Salz

Rote Lebensmittel

GETRÄNKE
Softdrinks (Cola, Fanta, Spezi ...)
Schnaps

WURST UND FLEISCH
Salami
Schinken
Industrie-Schweinefleisch
Industrie-Rindfleisch
Industrie-Kalbfleisch

FISCH
Pangasius
Fischstäbchen
Frittierter Fisch

ZUCKER
Süßigkeiten
Industriegebäck
Industriekuchen

SONSTIGES
Pommes
Kartoffelchips
Croissants

Die Dosis macht das Gift.
Von einem Wiener Würstchen fällt bekanntlich
niemand tot um. Allzu strenge Verbote
und Selbstkasteiung sind sinnlos.
Es kann also nur um mehr und weniger gehen.
Bitte legen Sie also diesen »Ampel-Vorschlag«
nicht allzu sklavisch aus!

Am Morgen verkraftet der Körper schnelle Kohlenhydrate noch am ehesten. Also her mit dem frisch ausgepressten Orangensaft, dem Riesenobstteller und dem Brot! Man kann auch mit einem Filterkaffee und einem Stückchen dunkler Schokolade oder mit Grünem Tee und Apfelschnitzen starten.
Als Faustregel gilt: Stoffwechseltechnisch ist es günstig, den Großteil der Kalorien in der ersten Tageshälfte – bis grob gesagt 15 Uhr – zu sich zu nehmen.

MORGENS

Orientalischer Joghurt

½ Mango	und
½ Banane	schälen und in Stücke schneiden.
1–2 Datteln	halbieren, den Kern entnehmen und in kleine Stücke schneiden. Von
2 Kardamomkapseln	die Kapsel in einem Mörser anstoßen und die Samen entnehmen. Diese mit dem Stößel fein zerreiben. Mit
½ TL Kurkumapulver	und
½ TL Zimtpulver	mischen.
½ cm Ingwer	schälen und fein reiben und zusammen mit der Gewürzmischung unter
200 g Joghurt	rühren.
2 Cashewkerne	und
1 TL Pistazienkerne	grob hacken und zusammen mit
1 TL Mandelblättchen	und den Früchten zum Joghurt anrichten.

Ich empfehle, ganze Kardamomkapseln und nicht das bereits gemahlene Pulver zu verwenden, da das Aroma von frisch gemahlenem Kardamom viel intensiver und komplexer ist – das sollte man sich nicht entgehen lassen. Machen Sie den Vergleich!

Salat aus Zitrusfrüchten mit Minze und Pistazien

1 Rosa Grapefruit	
1 Grapefruit	
2 Orangen	
2 Blutorangen	und
2 Mandarinen	schälen, die weiße Haut entfernen und das Fruchtfleisch in kleine Stücke schneiden. Wer es feiner mag, kann die Zitrusfrüchte auch filetieren.
3 Kumquats	waschen und in feine Scheiben schneiden, dabei Kerne entfernen. Die Schale von
1 Limette	abreiben und den Saft auspressen. Von
1 Stiel Minze	die Blättchen abzupfen und mit der Schere in feine Streifen schneiden.
20 g Pistazienkerne	grob hacken. Die Zitrusfrüchte mit dem Limettensaft, der Limettenschale und der Minze mischen und mit den Pistazien anrichten.

Exotischer Fruchtsalat mit Kardamom und Kokosflocken

1 Mango	
½ Ananas	und
2 Kiwi	schälen und das Fruchtfleisch würfeln.
2 Maracuja	halbieren und das Fruchtfleisch mit einem Löffel auskratzen.
1 Granatapfel	halbieren und mit dem Kochlöffel die Kerne herausklopfen. Alle Früchte in einer Schüssel mischen. Von
4 Kardamomkapseln	die Kapsel in einem Mörser anstoßen und die Samen entnehmen. Diese mit dem Stößel fein zerreiben. Fruchtsalat mit Kardamom mischen und mit
20 g Kokosflocken	anrichten.

Melonensalat mit Minze

1 Charentais-Melone	
1 Honigmelone	und
½ Wassermelone	schälen, die Kerne entfernen und in mundgerechte Stücke schneiden.
2 Pfirsiche	halbieren, vom Kern befreien und ebenfalls in Stücke schneiden. Von
5 Stielen Minze	die Blätter abzupfen und mit der Schere in Streifen schneiden.
20 g Sonnenblumenkerne	in einer Pfanne ohne Fett rösten. Die Früchte mit der Minze mischen und mit den Sonnenblumenkernen anrichten.

Herbstfrüchte mit Quark

200 g Quark (Fettgehalt nach persönlicher Vorliebe)	mit
Apfel- oder Birnenmus	und
½ TL Zimtpulver oder 1 Messerspitze Vanille	mischen.
1 Apfel oder Birne	halbieren, mit einer Reibe grob raspeln und
2 EL Rosinen	dazugeben.
5 Pekannüsse (ersatzweise Walnüsse)	zerkleinern und dazu anrichten.

Sommerquark

	Von
1 Zitrone	die Schale abreiben und den Saft auspressen. Von
1 Aprikose	und
1 Pfirsich	den Kern herausnehmen und das Fruchtfleisch zerkleinern. Zusammen mit 2 EL Zitronensaft pürieren. Das Püree und die Zitronenschale mit
200 g Quark (20% oder 40%)	mischen.
1 Nektarine	in mundgerechte Stücke schneiden. Quark mit Nektarine,
1 TL Pistazienkernen	und
Zwergbasilikum (ersatzweise Thai-Basilikum oder Minze)	anrichten.

FÜR 1 PERSON

Quinoa-Porridge

50 g Quinoa	in 150 ml Wasser mit
1 EL getrockneten Cranberrys	ca. 15–20 Min. köcheln lassen. Mit
1 TL Zimtpulver	würzen. Quinoa mit
1 TL Mandelstiften	und
50 g Blaubeeren	anrichten.

Statt Quinoa kann man auch Amarant nehmen.

Hafer-Porridge mit Himbeeren und Sonnenblumenkernen
sunflowerseeds

4 EL feine Haferflocken	mit 100 ml heißem Wasser übergießen.
2–3 Datteln	waschen, halbieren, entkernen, klein schneiden und mit der Hälfte von
150 g gemischten Beeren (Blaubeeren, Himbeeren etc.)	pürieren.
1 EL Sonnenblumenkerne	rösten. Eingeweichte Haferflocken mit Beerenpüree verrühren und mit den restlichen Beeren und den Sonnenblumenkernen anrichten.

Wenn Sie die Haferflocken mit Wasser übergießen, entsteht nach und nach ein »schleimiger« Brei. Ein gutes Zeichen! Das liegt an dem Ballaststoff Beta-Glucan, von dem Hafer reichlich enthält. Im Darm verlangsamt das zähflüssige Gel die Aufnahme der Kohlenhydrate, was schon mal sehr günstig ist. Aber Beta-Glucan kann noch mehr: Es hemmt darüber hinaus die Absorbierung von Cholesterin. So senkt dieses Hafer-Porridge Ihren Cholesterinspiegel!

Müsli »Einsame Insel«

4 EL Haferflocken	mit
150 ml Kokosmilch	und
1 Messerspitze Vanille	mischen.
½ Mango	und
½ Banane	schälen, klein schneiden und zusammen mit
2 EL Kokosraspel	zu den Haferflocken servieren.

Ich liebe den Geschmack von Kokos! Oft wird behauptet, Kokosmilch und Kokosöl seien das Superfood schlechthin. Andere wiederum halten es für das reinste Gift. Die Wahrheit liegt tatsächlich irgendwo dazwischen, tendenziell aber eher in Richtung gesund. Die Kokosnuss gehört zu den ganz wenigen Pflanzenprodukten mit vielen gesättigten Fettsäuren. Im Großen und Ganzen haben diese sich in den letzten Jahren als weniger schädlich herausgestellt, als man lange dachte. Insgesamt jedoch würde ich die ungesättigten Fettsäuren in Form von Nüssen, Avocados, Olivenöl, Lein- und Chia-Samen oder fettigem Fisch als eindeutig gesünder einstufen. Trotzdem: Ab und zu mal Kokos für den Geschmack? Kein Problem!

Himbeermüsli

	Von
200 g Himbeeren oder Erdbeeren	150 g pürieren und mit
150 g Joghurt	
4 EL Haferflocken	
1 EL gehackten Mandeln	verrühren und mit 50 g Himbeeren bzw. Erdbeeren anrichten.

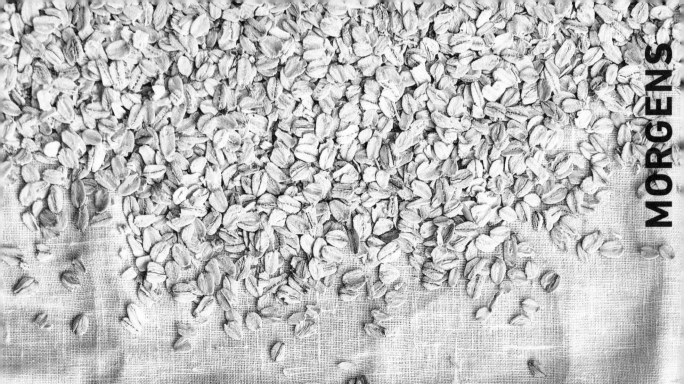

Pflaumenmüsli

FÜR 1 PERSON

3 EL Haferflocken	und
1 EL Weizenkeime	mit
150 g Joghurt	und
1 EL Pflaumenmus (ohne Zucker)	mischen.
1 EL Mandeln	grob hacken.
8 Pflaumen	waschen, halbieren, entkernen und in Stücke schneiden. Die Pflaumen zusammen mit den Mandeln zum Haferflockengemisch servieren.

Müsli à la Bircher

4 EL feine Haferflocken	mit
1 EL Rosinen	und
150 g Joghurt	mischen.
1 EL Haselnüsse	grob hacken.
1 Apfel	raspeln und zusammen mit den Haselnüssen,
1 TL Leinsamen	und
1 TL Zimtpulver	zum Müsli servieren.

Vollkornbrot mit Avocado, Ei und Kresse

1 Ei	hart kochen und in Scheiben schneiden.
2 Scheiben Vollkornbrot	mit
30 g Frischkäse	bestreichen.
1 genussreife Avocado	halbieren, den Kern und die Schale entfernen, in Scheiben schneiden und auf den Brotscheiben verteilen. Die Eierscheiben darauf verteilen und mit
Salz und Pfeffer	würzen.
1 Beet Kresse	abschneiden und die Brote damit servieren.

Vollkornbrot à la Bas

	400 ml lauwarmes Wasser in eine Schüssel mit
2 Päckchen Flüssigsauerteig (à 75 g)	mischen,
25 g Hefe	hineinbröckeln und unter Rühren auflösen.
300 g Vollkornroggenmehl	
200 g Vollkornweizenmehl	
1–2 TL Salz	und
2 EL Rapsöl (ersatzweise Olivenöl)	hinzufügen. Nach Geschmack noch
200 g Lein-, Chia-Samen, Sonnenblumenkerne oder Nüsse	dazugeben.

Alles mit dem Knethaken verrühren. Wenn der Teig glatt und geschmeidig ist, in einer Schüssel mit einem Tuch bedeckt an einem warmen Ort ca. 40 Min. gehen lassen, bis sich der Teig fast verdoppelt hat. Dann nochmals kneten.

Den Teig jetzt in eine Brotform oder auf ein Backblech mit Backpapier legen. Mit einem Sieb etwas Mehl darüberstreuen. Nochmals mindestens eine halbe Stunde gehen lassen. Währenddessen den Ofen auf 250–275 °C vorheizen, evtl. mit Dampffunktion, oder Sie stellen ein ofenfestes Gefäß mit Wasser in den Ofen. Dann das Brot ca. 30 Min. kräftig anbacken, sodass sich eine knusprige Kruste bildet, das Brot aber nicht anbrennt. Dann auf 200 °C herunterschalten und weitere 10 Min. backen. Das fertige Brot auf einem Rost abkühlen lassen.

Unbedingt Frischhefe ausprobieren!

Tipp:
Ca. 50 g des herkömmlichen Mehls durch Leinsamenmehl ersetzen – schmeckt gut, macht das Brot proteinhaltiger und damit sättigender.

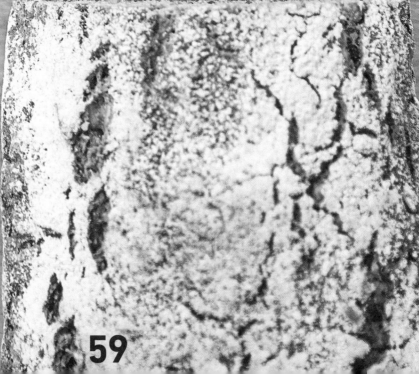

Pochiertes Ei mit Lachs und Vollkornbrot

	In 4 Mulden einer Muffin-Form 1 EL Wasser geben.
4 Eier	aufschlagen und in die Mulden geben. Die Muffin-Form bei 180 °C ca. 15 Min. in den Ofen geben.
½ Bund Schnittlauch	fein schneiden oder
1 Beet Kresse	abschneiden.
4 Scheiben Vollkornbrot	mit
4 Scheiben geräuchertem Lachs	belegen. Die pochierten Eier darauflegen und mit Schnittlauchröllchen bzw. Kresse servieren.

Spiegelei mit Avocado auf getoastetem Vollkornbrot

1 genussreife Avocado	halbieren, den Kern entnehmen und das Fruchtfleisch mit einem Löffel auskratzen. Das Fruchtfleisch mit
1 TL Zitronensaft	
½ TL Paprikapulver edelsüß	und
Salz	würzen.
4 Eier	in eine Pfanne mit
2 EL Olivenöl	aufschlagen und braten, bis das Eiweiß gestockt ist. Das Ei mit
Salz und Pfeffer	würzen.
4 Scheiben Vollkornbrot	toasten und Avocado-Mus darauf verteilen. Die Brote mit Spiegelei servieren.

Lunchtime! Wer wie ich morgens noch keinen großen Appetit verspürt, für den schlägt jetzt die Stunde des genussvollen Reinhauens. Man sollte versuchen, das übliche große Abendessen auf die Mittagszeit zu legen, wenn die Organe noch wach genug sind, um die ganzen Kalorien effizient zu verdauen. Jetzt kann man ja auch alles essen, meinetwegen auch einen Berg Nudeln.

Gemüsecurry mit Kokosmilch

200 g Zuckerschoten	waschen und die Enden abschneiden.
1 Chinakohl	und
1 Paprika	waschen, putzen und in Streifen schneiden.
400 g Karotten	schälen und in Scheiben schneiden.
200 g Shiitake-Pilze	putzen und in Streifen schneiden.
2 Knoblauchzehen	fein schneiden.
2 cm Ingwer	schälen und reiben. Zuerst die Karotten und die Zuckerschoten in
1 EL Kokosöl (ersatzweise Rapsöl)	anbraten. Nach etwa 5–10 Min. den Chinakohl, die Paprika und die Pilze dazugeben und nochmals ca. 5 Min. braten, dann den Knoblauch und den Ingwer dazugeben und kurz mitbraten. Mit
200 ml Kokosmilch	aufgießen und etwas einkochen lassen. Mit
Sojasoße	
Limettensaft	
Salz	und
Chilipulver	abschmecken. Dazu passt Quinoa oder Basmati-Reis (Zubereitung siehe Seite 69), den man mit Sesam serviert.

Sellerielasagne

1 Knollensellerie	schälen und 20 dünne Scheiben abschneiden. Selleriescheiben in kochendem Salzwasser weich kochen. Den Rest vom Sellerie in kleine Stücke schneiden.
1 Zwiebel	halbieren und in Scheiben schneiden. In
1 EL Olivenöl	andünsten, Selleriestücke dazugeben und mit etwas Wasser weich kochen und zusammen mit
4 EL Crème fraîche	pürieren. Mit
1 Messerspitze Muskatnuss	
Salz und Pfeffer	würzen.
200 g Staudensellerie	waschen und putzen und in 1 cm lange Stücke schneiden. In einem Topf mit etwas Wasser fast weich kochen.
300 g Pilze (z.B. Champignons, Shiitake, Kräuterseitlinge, Austernpilze)	putzen und halbieren bzw. vierteln und in
2 EL Olivenöl	anbraten. Mit
Salz und Pfeffer	würzen.

Für die Käsecreme

200 g Frischkäse	mit
10 g Crème fraîche	und
100 g geriebenem Käse	mischen und mit
Salz und Pfeffer	abschmecken. Abwechselnd eine Selleriescheibe, Selleriepüree, Staudensellerie, Pilze und Käsecreme (mit dieser abschließen) in eine ofenfeste Form schichten und bei 180 °C ca. 5–10 Min. backen.

Ab und zu mal Reis (Basmati!)
ist durchaus in Ordnung – aber wer
dieses Gericht so liebt, dass er es
jeden Tag essen will, der sollte den Reis
auch mal durch Quinoa
austauschen!

Auberginenragout in Tomatensoße mit Gewürzreis und Limetten-Joghurtdip

1 kg Auberginen	waschen, putzen und in große Würfel schneiden.
2 Rote Zwiebeln	und
2 Knoblauchzehen	würfeln. Alles in
1 EL Kokosöl	anbraten.
2 cm Ingwer	schälen und fein hacken.
1 Chilischote	waschen, halbieren, entkernen und in sehr feine Ringe schneiden. Ingwer, Chili und
2 TL Kreuzkümmel	dazugeben und kurz mitbraten. Dann
800 g stückige Tomaten	dazugeben, etwas einkochen lassen und mit
Salz	abschmecken.

Für den Gewürzreis

	Ca. 1 l Wasser mit
3 Nelken	aufkochen.
300 g Basmati-Reis	waschen und ins kochende Wasser geben, dann bei geringer Temperatur 15 Min. garen lassen. Den Reis abseihen. Von
1 Limette	die Schale abreiben (für Dip verwenden), Limette auspressen.
4 Kardamomkapseln	öffnen, die Samen entnehmen und im Mörser etwas andrücken. Zusammen mit
4 TL Kurkumapulver	und Limettensaft zum Reis geben und mit
Salz	abschmecken.

Für den Limettendip

200 g Joghurt	mit der Schale einer Limette verrühren und mit
Salz	abschmecken. Auberginenragout mit Gewürzreis und Limettendip servieren.

Ayurvedisches Curry mit Zimtreis

1 Rote Zwiebel	
1 Knoblauchzehe	und
1 Chilischote	klein schneiden und mit
1 EL Kurkumapulver	in
1 TL Kokosöl	anbraten.
340 g gekochte Kichererbsen	abspülen, dazugeben und mit der Gabel zerdrücken.
1 Aubergine	
1 Paprika	
100 g Pilze	und
1 kleinen Kürbis	waschen, putzen, klein schneiden und dazugeben. Mit
1 Messerspitze Muskatnuss	würzen.
Ca. 4 cm Ingwer	im Mörser zerdrücken und zusammen mit
Salz	zum Gemüse geben und in eigener Flüssigkeit schmoren lassen. Dann
½ l Kokosmilch	und
2 EL Currypulver	dazugeben.

Für den Zimtreis

2 Nelken	
3 Kardamomkapseln	und
½ Zimtstange	im Mörser anstößeln, mit 600 ml Wasser aufkochen und 10 Min. köcheln lassen. Dann die Gewürze abseihen und
200 g Basmati-Reis	im Gewürzwasser ca. 15 Min. garen und restliches Wasser abseihen.

Mangold-Pilz-Gemüse mit Bulgur

300 g Champignons	und
300 g Kräuterseitlinge	putzen und je nach Größe halbieren oder vierteln. In
2 EL Olivenöl	anbraten.
2 Schalotten	würfeln.
1 Knoblauchzehe	fein hacken und zu den Pilzen in die Pfanne geben.
200 g Mangold	waschen, putzen und den weißen Stiel in feine und die Blätter in breite Streifen schneiden. Mangold ebenfalls zu den Pilzen geben. Mit
100 ml Gemüsefond	und
2 EL Aceto Balsamico	ablöschen. Mit
Salz	abschmecken.
30 g Haselnüsse	ohne Fett rösten und grob hacken.
60 g Parmesan	reiben. Haselnüsse und Parmesan zum Gemüse servieren.

Für den Bulgur

	400 ml Wasser mit
2 TL Instant-Gemüsebrühe	aufkochen.
180 g Bulgur	dazugeben und bei mittlerer Hitze 7–10 Min. ziehen lassen.

Rotkohlrouladen mit Bulgur, Champignons und Walnüssen

	Von
1 Rotkohl	8–12 große Blätter abnehmen, den Strunk herausschneiden und in kochendem Wasser ca. 2 Min. weich kochen.
	350 ml Wasser mit
1 TL Instant-Gemüsebrühe	aufkochen.
160 g Bulgur	dazugeben und bei mittlerer Hitze 7–10 Min. ziehen lassen.
1 Zwiebel	und
1 Knoblauchzehe	würfeln.
200 g Champignons	putzen, halbieren und in feine Scheiben schneiden. Zwiebel, Knoblauch und Champignons ca. 10 Min. in
2 EL Olivenöl	dünsten. Bulgur dazugeben.
½ Bund Petersilie	waschen, trocken schütteln und fein hacken. Von
4 Stielen Thymian	die Blättchen abzupfen.
2 EL Walnüsse	hacken, zusammen mit den Kräutern zur Bulgurmasse geben und mit
Salz und Pfeffer	abschmecken. Die Bulgurmasse in die Kohlblätter geben. Die Seiten einschlagen, das Blatt von der Blattspitze her aufrollen und mit einem Zahnstocher feststecken. Die Rouladen in einer Pfanne mit
2 EL Olivenöl	anbraten und mit
100 ml Gemüsefond	aufgießen. Mit Deckel oder im Ofen (160 °C) ca. 20 Min. garen. Wer es sich etwas einfacher machen will, schneidet die Blätter klein, dünstet sie weich und serviert diese mit der Füllung.

Linsenbolognese mit Zucchininudeln

120 g Braune Linsen	in 250 ml Wasser in ca. 20 Min. weich kochen.
1 Zwiebel	und
1 Knoblauchzehe	fein würfeln.
150 g Knollensellerie	und
150 g Karotten	schälen und ebenfalls fein würfeln. Alles in
2 EL Olivenöl	andünsten und mit
100 ml Rotwein	aufgießen und ca. 10 Min. einkochen lassen. Dann
750 g passierte Tomaten	dazugeben und 15 Min. weiterköcheln lassen. Die Linsen dazugeben und weitere 5 Min. köcheln lassen.

Für die Zucchininudeln

1 Zucchino	waschen und mit einem Spiralschneider in Spaghettiform schneiden. In einer Pfanne mit
2 EL Olivenöl	einige Minuten garen.
100 g Parmesan	reiben. Zucchininudeln mit Linsenbolognese und Parmesan servieren.

Kichererbsencurry mit Karotten und Minzjoghurt

1 Rote Zwiebel	und
1 cm Ingwer	schälen und fein würfeln.
1 kg Karotten	schälen und in Scheiben schneiden. Alles in
2 EL Rapsöl	anbraten. Mit
750 g stückigen Tomaten	aufgießen.
340 g gekochte Kichererbsen	abspülen und zum Gemüse geben. Mit
1 TL Kurkumapulver	
1 TL gemahlenem Kreuzkümmel	
Chilipulver	und
Salz	würzen.

Für den Minzjoghurt

	Von
2 Stielen Minze	die Blätter abzupfen, hacken und mit
200 g Joghurt	und
1 Messerspitze Zimtpulver	mischen.

Spaghetti tricolore mit Pesto, Rucola und Pinienkernen à la Sina*

4 Tomaten	waschen, putzen, vierteln und in
2 EL Olivenöl	mit
Salz	köcheln lassen.
2 dicke Karotten	und
1 Zucchino	waschen und mit einem Spiralschneider in Spaghettiform schneiden.
200 g Vollkornspaghetti	in Salzwasser ca. 6–8 Min. kochen, die Karottenspaghetti dazugeben und weitere 3 Min. kochen, dann die Zucchini-spaghetti dazugeben und 1 weitere Min. kochen.
2 EL Pinienkerne	in einer Pfanne ohne Fett rösten.
100 g Pesto (grün oder rot)	zu den Tomaten geben.
50 g Rucola	waschen, putzen und grob zerkleinern. Vor dem Servieren zur Soße geben und die Spaghetti tricolore damit servieren.

* meine geliebte Frau

Kichererbsen-Bulgur-Puffer

	200 ml Wasser mit
2 TL Instant-Gemüsebrühe	aufkochen.
100 g Bulgur	dazugeben und bei mittlerer Hitze 7–10 Min. ziehen lassen.
340 g gekochte Kichererbsen	abspülen.
½ Bund Petersilie	waschen, trocken schütteln und grob hacken.
1 Zwiebel	und
2 Knoblauchzehen	zerkleinern. Alles pürieren und mit
1 TL gemahlenem Kreuzkümmel	
Salz und Pfeffer	würzen.
60 g Vollkornsemmel-brösel	und
2 Eier	zur Masse geben, kneten, zu Puffern formen und in
2 EL Olivenöl	von jeder Seite ca. 5–8 Min. goldbraun braten. Die Kichererbsen-Bulgur-Puffer passen gut zu gemischtem Blattsalat oder Gemüse

Gewürz-Couscous mit Gemüse in Petersilie-Zitronen-Marinade

3 Karotten	
500 g Zucchini	und
350 g Kürbis	putzen und in mundgerechte Stücke schneiden.
1 TL Zimtpulver	
2 TL gem. Kreuzkümmel	
1 TL gem. Koriander	
½ TL Salz	
1 Messerspitze Chilipulver	
1 Messerspitze Safran	
2 EL Olivenöl	in 1 l Wasser geben und dieses zum Kochen bringen. Karotten dazugeben und bissfest kochen, dann Zucchini und Kürbis dazugeben und weiterköcheln lassen, bis das Gemüse fast weich ist. Die Gewürzbrühe in einen Topf abseihen. Das Gemüse im Ofen warm halten, die Brühe nochmals aufkochen, vom Herd nehmen und darin
250 g Vollkorn-Couscous	ca. 10 Min. quellen lassen.
200 g gek. Kichererbsen	abspülen und mit dem Couscous mischen.

Für die Petersilie-Zitronen-Marinade

1 Zitrone	waschen, die Schale abreiben und den Saft auspressen.
8 Stiele Petersilie	hacken und mit Zitronenschale, 1 EL Zitronensaft und
3 EL Olivenöl	mischen und mit
Salz	und
Chilipulver	abschmecken. Das Gemüse mit der Marinade mischen und zum Couscous servieren.

Linsenpflanzerl

1 Zwiebel	und
1 Knoblauchzehe	fein würfeln. Beides in
2 EL Olivenöl	andünsten.
100 g Rote Linsen	dazugeben und mit
Salz und Pfeffer	
½ TL Paprikapulver edelsüß	
¼ TL Chilipulver	und
½ TL gemahlenem Kreuzkümmel	würzen und mit
250 ml Gemüsefond	aufgießen. Ca. 15 Min. bei mittlerer Hitze weich garen, bis die Linsen die Flüssigkeit aufgenommen haben.
40 g Haferflocken	
2 Eier	und
2 EL Sahnejoghurt	mischen und unter die Linsen rühren. Die Masse abschmecken. 8 Bratlinge formen und in
40 g Sesam	wenden. Die Bratlinge in einer Pfanne mit
5 EL Olivenöl	von beiden Seiten je ca. 5 Min. braten.
8 Stiele Petersilie	hacken und mit
100 g Sahnejoghurt	mischen. Mit
Salz	abschmecken und zu den Bratlingen servieren Dazu passt gemischter Salat oder gedünstetes Gemüse.

Grünkernpuffer

1 TL Instant-Gemüsebrühe	mit 400 ml Wasser aufkochen und
200 g Grünkernschrot	einrühren. Bei kleiner Hitze in ca. 20–30 Min. quellen lassen.
1 Zwiebel	und
1 Knoblauchzehe	fein würfeln.
1 Bund Petersilie	waschen, trocken schütteln und fein hacken. Alles mit
2 Eiern	
Salz und Pfeffer	mischen und in
2 EL Olivenöl	von beiden Seiten knusprig braten. Die Grünkernpuffer schmecken gut mit gemischtem Salat oder Gemüse.

Lachs mit gebratenem Blumenkohl auf Süßkartoffelstampf

800 g Lachsfilet (mit Haut)	waschen und trocken tupfen. Für die Marinade von
1 Limette	die Haut abreiben und den Saft auspressen (1 EL Saft für den Kartoffelstampf zurückbehalten).
5 cm Ingwer	schälen und fein reiben (1 EL für den Kartoffelstampf zurückbehalten).
1 Knoblauchzehe	pressen. Alles mit
1 EL heller Sojasoße	und
3 EL Rapsöl	mischen. Den Lachs mit der Fleischseite nach unten in die Marinade tauchen und mindestens 30 Min. ziehen lassen. Dann in einer Pfanne auf der Hautseite anbraten, bis die Haut knusprig ist. Kurz wenden, bis der Fisch gar ist.

Für den Blumenkohl

1 Blumenkohl	putzen, längs (Strunk unten) in Scheiben schneiden und in
3 EL Olivenöl	von beiden Seiten braten. Mit
Salz und Pfeffer	würzen. Von
4 Stielen Thymian	die Blättchen abzupfen.
1 Zitrone	waschen, die Schale abreiben und untermischen. Thymian-Zitronen-Mischung zum Blumenkohl geben.

Für den Süßkartoffelstampf

1 kg Süßkartoffeln	schälen, achteln und in Salzwasser in ca. 10–15 Min. weich kochen. Abseihen und mit einer Kartoffelpresse zerdrücken.
4 EL Olivenöl	erwärmen, geriebenen Ingwer und Limettensaft dazugeben und mit dem Süßkartoffelstampf mischen. Mit
Salz	und
Muskatnuss	abschmecken.

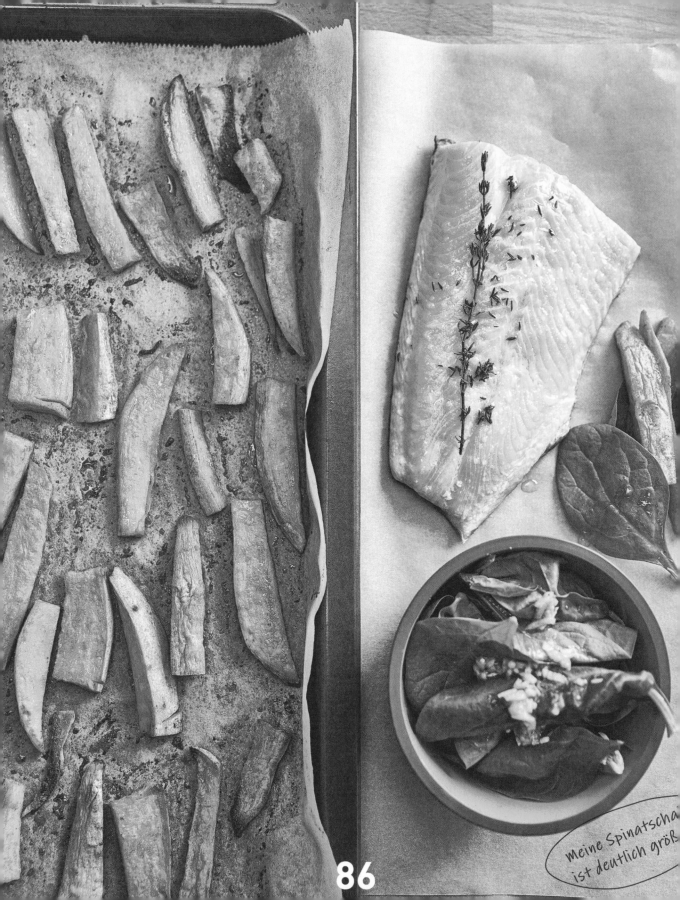

meine Spinatscha
ist deutlich größ

Gebratener Saibling auf lauwarmem Spinatsalat und Süßkartoffel-Wedges

	Von
4 Saiblingsfilets mit Haut	ggf. große Gräten mit der Pinzette entfernen. Von
6 Stielen Thymian	die Blättchen abzupfen. Fisch mit
Salz und Pfeffer	und Thymian würzen und auf der Hautseite in
2 EL Olivenöl	knusprig anbraten, dann bei mittlerer Temperatur ziehen lassen.

Für die Süßkartoffel-Wedges

1 kg Süßkartoffeln	schälen und in Spalten schneiden. Mit
3 EL Olivenöl	
1 EL Paprikapulver edelsüß	und
Salz	mischen und auf einem Backblech mit Backpapier im Backofen bei 220 °C Ober- und Unterhitze (Umluft 200 °C) in 30–40 Min. knusprig backen, dabei einmal wenden.

Für den Spinatsalat

2 EL Zitronensaft	
1 TL Senf	
4 EL Olivenöl	mischen und mit
Salz und Pfeffer	abschmecken.
400 g Babyspinat	waschen und putzen.
1 Schalotte	und
1 Knoblauchzehe	in feine Würfel schneiden und in
1 EL Olivenöl	andünsten. Die Vinaigrette dazugeben und warm über den Spinat gießen.

Fischsuppe

3 Frühlingszwiebeln	putzen und in feine Ringe schneiden.
1 Fenchel	putzen, vierteln und in feine Scheiben schneiden.
4 Stangen Staudensellerie	putzen und in Scheiben schneiden. Das Gemüse in
3 EL Olivenöl	anbraten und bissfest garen. Mit
½ l Weißwein	und
½ l Fischfond	aufgießen und mit
Salz	und
Weißem Pfeffer	abschmecken.
2 Tomaten	waschen und würfeln.
500 g gemischte Fischfilets (z. B. Karpfen, Zander, Wels)	in mundgerechte Stücke schneiden, zusammen mit den Tomatenwürfeln zum Gemüse geben und ca. 5 Min. ziehen lassen.
2 Stiele Dill	fein hacken und zur Suppe servieren. Evtl. dazu Mayonnaise mit Zitronensaft, Knoblauch und Chili servieren.

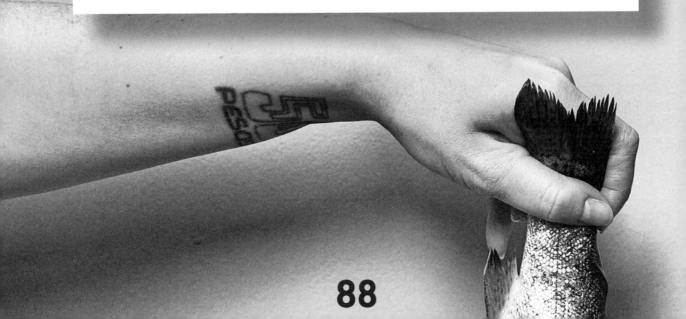

Pochierter Kabeljau mit Senfsoße, gebratenem Grünkohl und Kürbis-Linsen-Püree

2 Schalotten	fein würfeln und die Hälfte in
1 EL Olivenöl	andünsten. Mit
150 ml Weißwein	ablöschen und ca. 10–15 Min. einkochen lassen.
500 ml Fischfond	dazugießen.
4 Kabeljaukoteletts (à 200 g)	in den Fond legen und 4–5 Min. ziehen lassen. Fisch aus dem Topf nehmen und im Ofen (60 °C) warm halten. Fond um die Hälfte einkochen, dann
4 EL Crème fraîche	und
1 EL groben Senf	dazugeben und pürieren. Mit
Salz	und
Weißem Pfeffer	abschmecken.
250 g Grünkohl	waschen, putzen und in sehr feine Streifen schneiden. Die restlichen Schalotten in
1 EL Olivenöl	in einer Pfanne andünsten. Den Grünkohl dazugeben und 2–3 Min. unter Rühren braten. 100 ml Wasser dazugeben, mit
Salz und Pfeffer	würzen und zugedeckt weitere 2 Min. garen.

Für das Kürbis-Linsen-Püree

150 g Gelbe Linsen	in 300 ml Wasser ca. 10 Min. weich kochen.
500 g Hokkaido-Kürbis	schälen, entkernen und zerkleinern. In
2 EL Olivenöl	anbraten.
1 Zwiebel	grob zerkleinern und zum Kürbis geben. Salzen und mit geschlossenem Deckel weich garen. Mit
Gewürzmischung (Koriander, Piment, Zimt-, Kurkuma-, Chilipulver)	würzen und zusammen mit den Linsen pürieren. Fisch mit Gemüse und Kürbis-Linsen-Püree anrichten und mit der Soße servieren.

Orientalisch gewürzte Dorade mit Gelben Currylinsen

4 Doradenfilets	waschen und trocken tupfen.
3 Kardamomkapseln	andrücken, die Samen entnehmen und zusammen mit
1 TL Anissamen	und
3 Pimentkörnern	in einem Mörser fein zerreiben. Fisch mit der Gewürzmischung auf einer Seite einreiben und auf dieser Seite in die Pfanne mit
2 EL Olivenöl	geben und braten.

Für die Currylinsen

250 g Gelbe Linsen	mit 500 ml Wasser zum Kochen bringen und ca. 10–15 Min. weich kochen.
2 EL Currypulver	mit
1 EL Rapsöl	anschwitzen. Linsen abseihen und mit dem Currypulver im Topf vermengen. Mit
Salz	abschmecken und Linsen zum Fisch servieren.

Ein weiterer Favorit:
schnell gemacht,
schmeckt herrlich!

Nudeln mit Lachs-Spinat-Soße

1 Zwiebel	und
1 Knoblauchzehe	würfeln.
400 g Spinat	waschen, putzen und in grobe Streifen schneiden (nicht bei Babyspinat). Zwiebel und Knoblauch in
1 EL Olivenöl	andünsten, Spinat dazugeben.
2 Lachsfilets	in kleine Stücke teilen, zum Spinat geben und kurz (ca. 2–3 Min.) mitgaren.
3 EL Crème fraîche	und
1 EL Zitronensaft	dazugeben und mit
1 Messerspitze Muskatnuss	
Salz und Pfeffer	würzen.
1 Zucchino	waschen und mit einem Sparschäler in Streifen schneiden.
200 g Vollkornspaghetti	in kochendem Salzwasser 7 Min. kochen, dann Zucchino dazugeben und weitere 2 Min. kochen. Spaghetti mit der Lachs-Spinat-Soße und nach Geschmack mit Parmesan servieren.

Wem das zu »hardcore« ist:
Als Kompromiss kann man zur Hälfte
»normale« Nudeln nehmen.

Gewürzhähnchen mit Brokkoli, Mandelblättchen und Quinoa

2 TL Koriandersamen	und
2 TL Kreuzkümmel	rösten.
4 Kardamomkapseln	andrücken und die Samen herausnehmen. Alle drei Gewürze zusammen mit
2 TL Fenchelsamen	in einem Mörser mit
½ TL Salz	fein zerreiben.
2 cm Ingwer	schälen, fein reiben und zur Gewürzmischung geben. Mit
1 Messerspitze Zimtpulver	und
Pfeffer	abrunden. Die Gewürzmischung mit
2 EL Olivenöl	mischen.
4 Hähnchenbrustfilets	mit der Gewürzmischung einreiben und von beiden Seiten in
2 EL Olivenöl	anbraten und ca. 15 Min. bei mittlerer Temperatur ziehen lassen, bis die Hähnchenbrustfilets durchgegart sind.
1 Brokkoli	putzen, die Röschen abschneiden und in kochendem Wasser einige Minuten bissfest blanchieren.

Für den Quinoa

150 g Quinoa	in
200 ml Gemüsefond	ca. 15 Min. köcheln lassen.
50 g Mandelblättchen	in einer Pfanne ohne Fett anrösten. Brokkoli in
2 EL Olivenöl	braten und mit Quinoa und den Mandelblättchen zum Hähnchen servieren.

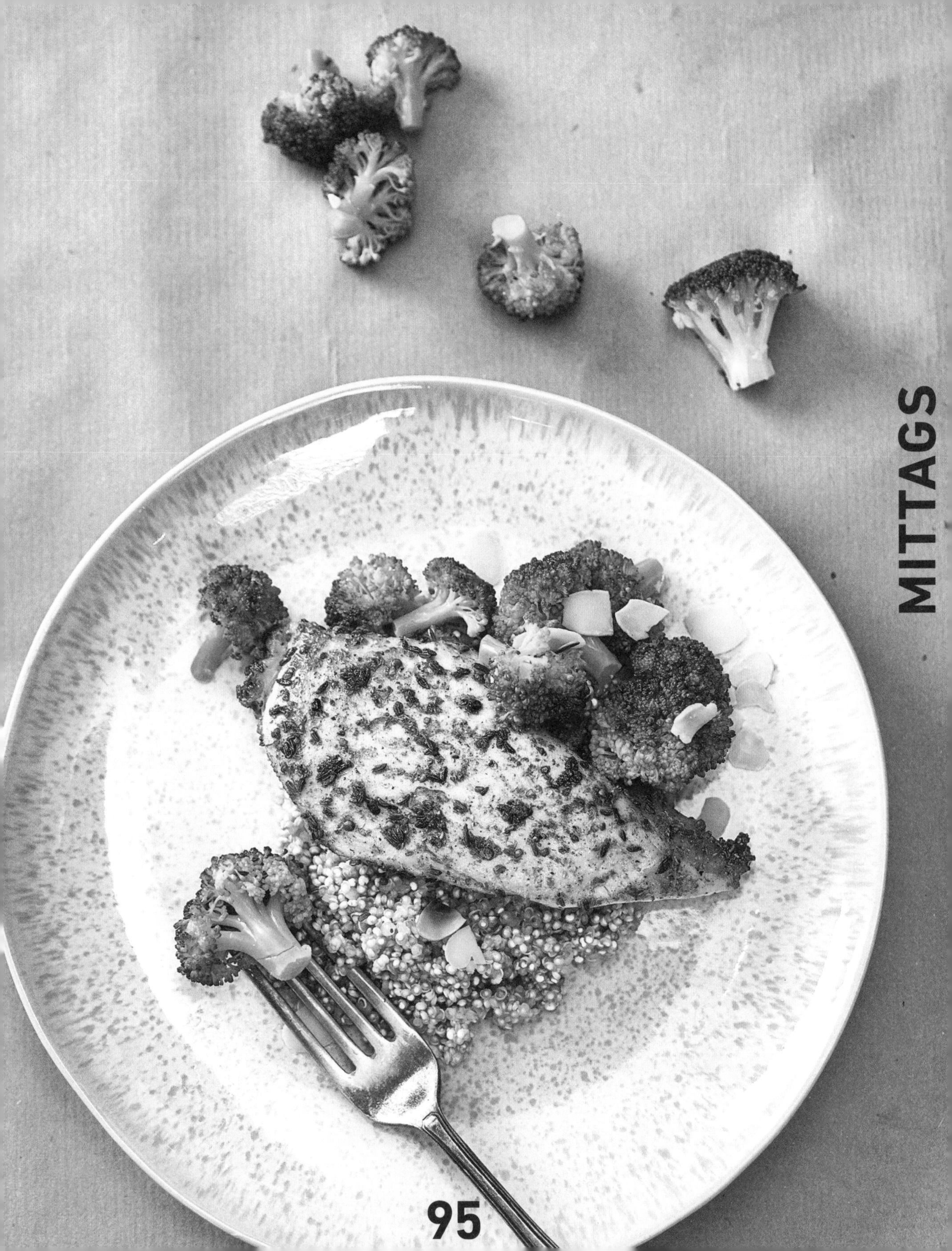

Orangen-Hähnchen mit Vollkorn-Couscous und Karottengemüse

	Von
1 Orange	die Haut fein abreiben und den Saft auspressen. Die Orangenschale mit
2 EL Olivenöl	
Salz und Pfeffer	mischen und
4 Hähnchenbrüste	darin marinieren. Bei 120 °C in den Ofen schieben und bis zu einer Kerntemperatur von 68 °C ziehen lassen (ca. 45 Min.).
1 Zwiebel	fein würfeln und in
1 TL Butter	glasig dünsten. Mit
100 ml Weißwein	aufgießen und einkochen lassen. Dann mit
100 ml Gemüsefond	und dem Saft der Orange aufgießen und weiter köcheln lassen.

Für den Couscous

300 ml Gemüsefond	aufkochen und
150 g Vollkorn-Couscous	einrühren und ca. 15 Min. quellen lassen.
50 g Parmesan	reiben und unter den Couscous mischen.

Für das Karottengemüse

1 Rote Zwiebel	halbieren und in feine Scheiben schneiden.
6 Karotten	schälen, halbieren und in Stifte schneiden, auf ein Backblech verteilen, mit
2 EL Olivenöl	und etwas
Salz	im Ofen bei 180 °C backen, bis die Karotten bissfest sind.

Mit einem Fleischthermometer, das man ab ca. 10 Euro kaufen kann, lässt sich ganz leicht der Gargrad von Fleisch und Fisch bestimmen.

Rehrücken mit Kaffee-Gewürzkruste, gebratenem Kürbis und Bulgur

2 Kardamomkapseln	andrücken, öffnen, Samen entnehmen. Zusammen mit
1 TL Pimentkörnern	im Mörser fein zerreiben. Mit
Salz und Pfeffer	und
1 Messerspitze Muskatnuss	
1 TL Kaffeepulver	
2 EL gem. Haselnüssen	und
3 EL Olivenöl	mischen.
1,5 kg Rehrücken	damit einreiben und im Ofen bei 120 °C bis zu einer Kerntemperatur von ca. 63 °C (ca. 1 Stunde) garen.
1 Zwiebel	fein würfeln und in
1 EL Rapsöl	glasig dünsten. Mit
150 ml Rotwein	aufgießen, einkochen lassen und mit
200 ml Wild- oder Gemüsefond	aufgießen und weiter köcheln lassen. Soße pürieren und zum Schluss
50 ml Schmand	dazugeben.

Für den gebratenen Kürbis

1 Hokkaido-Kürbis	waschen, halbieren, entkernen und in mundgerechte Stücke schneiden. Kürbisstücke in
2 EL Olivenöl	ca. 10 Min. braten.
1 EL Koriandersamen	im Mörser zerkleinern und mit
1 Messerspitze Zimtpulver	und
Salz und Pfeffer	mischen. Gewürzmischung zum Kürbis geben und weiterbraten, bis der Kürbis fast weich ist.
180 g Bulgur	nach Packungsanweisung zubereiten.

Tomaten gefüllt mit Quinoa und Oliven

	Von
8 Fleischtomaten	eine Scheibe am Strunk abschneiden und mit einem Löffel das Fruchtfleisch entnehmen.
1 Zwiebel	und
1 Knoblauchzehe	hacken und in
2 EL Olivenöl	andünsten, Fruchtfleisch dazugeben und mit
Salz	etwas einkochen. Die Blätter von
2 Stielen Basilikum	mit einer Schere in Streifen schneiden und Soße damit servieren.
75 g Quinoa	in
100 ml Gemüsefond	ca. 15 Min. köcheln lassen.
150 g Feta	zerbröseln.
3 EL Oliven (ohne Stein)	zerkleinern. Von
4 Stielen Thymian	und
2 Stielen Salbei	die Blätter abzupfen und hacken.
1 Knoblauchzehe	salzen und mit einem Messerrücken fein zerdrücken. Alles mit dem Quinoa mischen und mit
Chilipulver	abschmecken. Die Tomaten mit dem gewürzten Quinoa füllen und bei 180 °C Umluft für ca. 20 Min. in den Ofen geben. Die Ofentomaten mit der Soße servieren. Dazu passt Blattsalat.

Dieses Rezept eignet sich ebenfalls zum Füllen von Paprika. Anstelle von Quinoa kann man auch Vollkorn-Couscous nehmen.

Ellens* Linsensuppe

1 Tomate	waschen und würfeln.
1 Zwiebel	und
2 Knoblauchzehen	fein würfeln und mit
1 EL Olivenöl	andünsten.
1 EL Tomatenmark	dazugeben, anschließend die gewürfelten Tomaten,
200 g Rote Linsen	
1 EL Paprikapulver edelsüß	und
1 l Gemüsefond	dazugeben. Mit
Zitronensaft	
Salz und Pfeffer	abschmecken.
1 EL getrocknete Minze	hineinrühren.

* Ellen ist meine Schwester, die mich vor Jahren erstmals zu einer Ernährungsumstellung inspirierte.

Fajitas

8 Vollkorntortillafladen	
1 Gemüsezwiebel	halbieren und in Scheiben schneiden.
1 Zucchino	waschen, putzen, halbieren und in Scheiben schneiden.
1 Gelbe Paprika	waschen, halbieren, putzen und in Streifen schneiden. Das Gemüse mit
1 EL Rapsöl	in einer Pfanne weich dünsten.
100 g gekochte Kidneybohnen	abspülen und dazugeben.
½ Eissalat oder Romanasalat	waschen, putzen und in Streifen schneiden.
100 g geriebenen Käse	und
100 g Sauerrahm	bereitstellen.

Für die pikante Tomatensalsa

2 Tomaten	waschen, halbieren, entkernen und in feine Würfel schneiden. Mit
Salz	und
Chilipulver	würzen.
Avocadocreme	Siehe Seite 102. Alles in Schälchen anrichten und mit den Tortillafladen servieren, dann kann jeder seinen Fladen nach Gusto füllen. Wer mag, kann auch 200 g Hähnchenbrüste würfeln und angebraten zu den Fajitas servieren. Statt Hühnchen kann man auch Garnelen nehmen.

Vollkornbrot mit Avocadocreme und Krabben

2 genussreife Avocados	halbieren, den Kern entfernen, mit einem Löffel das Fruchtfleisch aus der Schale nehmen und mit einer Gabel zerdrücken.
1 Zitrone	auspressen und zusammen mit
2 EL Olivenöl	und
3 EL Joghurt	zum Avocadopüree geben. Mit
Salz und Pfeffer	würzen und mit
80 g (Nordsee-)Krabben	und Vollkornbrot servieren.

Salat mit Joghurt-Vinaigrette, gebratenen Pilzen, Hanfsamen und Sprossen

200 g gemischte Blattsalate	waschen und putzen.
200 g Pfifferlinge oder 100 g Kräuterseitlinge	und
100 g Austernpilze	putzen und in
2 EL Olivenöl	stark anbraten.

Für die Joghurt-Vinaigrette

150 g Joghurt	mit
2 EL Zitronensaft	
2 EL Avocado-Öl (ersatzweise Olivenöl)	
Salz und Pfeffer	mischen. Die Blattsalate auf Teller anrichten und mit der Vinaigrette beträufeln. Mit gebratenen Pilzen,
1 EL Hanfsamen	und
50 g Alfalfa-Sprossen	servieren.

103

Knäckebrot-Kräcker

60 g Vollkornmehl

60 g Haferflocken

50 g Sonnenblumenkerne

25 g Leinsamen

1,5 TL Salz

mit 250 ml Wasser mischen und auf ein mit Backpapier ausgelegtes Backblech dünn (1–2 mm) ausstreichen. Im Ofen bei 170 °C Umluft ca. 60 Min. backen. Falls der Teig noch nicht knusprig ist, bei 140 °C und geöffneter Tür nachtrocknen lassen. Anschließend auskühlen lassen und in Stücke brechen.

Gekneteter Rotkohlsalat mit Belugalinsen, Weintrauben und Walnüssen

½ Rotkohl	putzen, halbieren und in sehr dünne Streifen schneiden.
1 Rote Zwiebel	in sehr feine Streifen schneiden.
1 cm Ingwer	schälen, reiben und mit
2 EL Aceto Balsamico	
4 EL Olivenöl	
Salz und Pfeffer	erhitzen. Die warme Vinaigrette über den Rotkohl gießen und kräftig kneten.
250 g Belugalinsen	in 750 ml Wasser mit
2 Lorbeerblättern	
2 Stielen Thymian	und
½ TL Kreuzkümmel	kochen.
½ Radicchio	putzen und in Streifen schneiden. Rotkohlsalat mit Belugalinsen und Radicchio anrichten und mit
200 g Blauen Trauben	
300 g Camembert oder Blauschimmelkäse	und
80 g Walnusskernen	servieren.

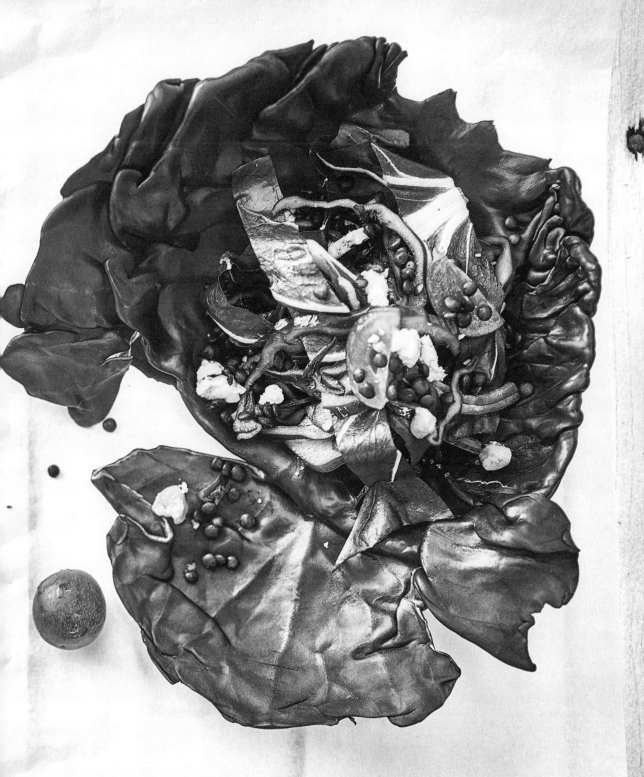

Auberginentatar mit Pinienkernen

1 Knoblauchzehe	hacken.
2 Auberginen	schälen und in sehr kleine Würfel schneiden. Beides in
4 EL Olivenöl	anbraten.
50 g Pinienkerne	rösten und hacken.
2 Tomaten	waschen und würfeln.
½ Bund Petersilie	fein hacken. Alles mischen und mit
Salz	
Paprikapulver edelsüß	und
Chilipulver	abschmecken.
	Das Auberginentatar pur oder mit Vollkornbrot genießen.

Winterlicher Couscous-Salat mit Zimtjoghurt, Granatapfel und gesalzenen Cashewkernen

2 TL Instant-Gemüsebrühe	mit 500 ml Wasser aufkochen.
300 g Vollkorn-Couscous	einstreuen, Herd ausmachen und Couscous quellen lassen.
200 g Brokkoli	in kleine Röschen schneiden und in kochendem Salzwasser ca. 5 Min. blanchieren.
2 Rote Paprika	waschen, putzen und in Würfel schneiden.
3 EL Zitronensaft	mit
6 EL Olivenöl	
1 TL gemahlenem Kreuzkümmel	
Salz und Pfeffer	verrühren und mit dem Couscous und dem Gemüse mischen.

Für den Zimtjoghurt

150 g Joghurt	mit
½ TL Zimtpulver	und
Salz	würzen.
1 Granatapfel	halbieren und die Kerne mit einem Kochlöffel ausklopfen.
2 EL gesalzene Cashewkerne	hacken. Couscous-Salat mit Zimtjoghurt, Granatapfelkernen und Cashewkernen servieren.

Vollkornbrot mit Auberginencreme

1 große Aubergine	mit einer Gabel mehrfach einstechen und auf einem mit Backpapier ausgelegten Backblech im Ofen so lange grillen, bis sie aufplatzt. Dabei öfter wenden, die Haut darf schwarz werden. Kurz abkühlen lassen, das Fleisch sorgfältig aus der Haut lösen und in einem Sieb abtropfen lassen.
1 Zitrone	auspressen. Von
4 Stielen Petersilie	und
1 Stiel Minze	die Blätter abzupfen und fein hacken.
2 Knoblauchzehen	mit
½ TL Salz	fein zerdrücken. Fruchtfleisch mit 2 EL Zitronensaft, den Kräutern, dem Knoblauch,
2 EL Olivenöl	
80 g Sahnejoghurt	und
Chilipulver	mischen. Auberginencreme mit Vollkornbrot servieren.

Geräucherter Lachs mit Meerrettichcreme und Kapern auf Vollkornbrot

2 cm Meerrettich	schälen und reiben. Mit
100 g Frischkäse	und
1 EL Sahnejoghurt	mischen.
4 Scheiben Vollkornbrot	damit bestreichen und mit
8 Scheiben geräuchertem Lachs	belegen.
1 EL Kapern	hacken und das Lachsbrot damit servieren.

Forellenaufstrich mit Vollkornbrot

150 g geräuchertes Forellenfilet	mit
100 g Crème fraîche	
1 EL Zitronensaft	und
1 Bund Dill	pürieren. Mit
Salz und Pfeffer	abschmecken. Forellenaufstrich zu Vollkornbrot servieren.

Radieschenquark mit Vollkornbrot

1 Bund Radieschen	waschen und in Stifte schneiden oder grob raspeln. Wenn die Blätter noch frisch sind, diese ebenfalls gründlich waschen und in feine Streifen schneiden.
250 g Quark (20 % oder 40 %)	mit
Salz und Pfeffer	abschmecken.
1 Beet Kresse	abschneiden. Radieschen und evtl. die Blätter und die Kresse unter die Quarkmasse heben.
2 EL Sonnenblumenkerne	in einer Pfanne ohne Fett rösten und zum Quark servieren.

Rote-Beete-Aufstrich mit Vollkornbrot

2 gekochte Rote Beete	zerkleinern und mit
150 g Frischkäse	und
1 EL Zitronensaft	pürieren.
2 cm Meerrettich	schälen, reiben und unter die Rote-Beete-Creme mischen. Mit
Salz	abschmecken.
2 EL Sonnenblumenkerne	in einer Pfanne ohne Fett rösten.
1 Beet Kresse	abschneiden und zum Rote-Beete-Aufstrich mit den Sonnenblumenkernen und Vollkornbrot servieren.

Linsenaufstrich mit Vollkornbrot

1 Zwiebel	und
1 Knoblauchzehe	zerkleinern und in
1 EL Olivenöl	andünsten.
100 g Rote Linsen	in 250 ml Wasser weich kochen (ca. 15–20 Min.). Beides mit
1 EL Zitronensaft	pürieren.
1 TL Koriandersamen	rösten und zusammen mit
1 TL Kardamomsamen	und
1 TL Bockshornkleesamen	mörsern und mit
Chilipulver	und
Salz	würzen und zum Linsenpüree geben.

Karottenhummus mit Vollkornbrot

350 g Karotten	schälen, halbieren und klein schneiden.
1 Knoblauchzehe	halbieren. Beides in
2 EL Olivenöl	andünsten, salzen und mit geschlossenem Deckel bei mittlerer Temperatur weich garen.
150 g gekochte Kichererbsen	abspülen und zusammen mit
2 EL Zitronensaft	
1 EL Sesam	
½ TL gemahlenem Kreuzkümmel	
1 Messerspitze Chilipulver	und
Salz	pürieren.
	Karottenhummus mit Gemüsesticks oder auf Vollkornbrot servieren.

Gebratener Pfirsich mit Joghurt und Walnüssen

2 Pfirsiche	halbieren und den Kern entnehmen. Mit der glatten Seite in einer Pfanne braten. Umgedreht auf Tellern anrichten.
80 g Sahnejoghurt	auf die Pfirsichhälften verteilen.
4 Stiele Minze	waschen, trocken schütteln und die Blätter hacken. Minze über den Joghurt streuen und mit
2 EL Walnüssen	servieren.

Gebratene Ananas mit Himbeerpüree

1 Ananas	schälen, in Scheiben schneiden und den Strunk entfernen. Ananasscheiben in einer Pfanne braten.
150 g Himbeeren	pürieren und mit
100 g Sahnejoghurt	verrühren. Ananas mit Himbeerjoghurt servieren.

Basilikum-Joghurt-Mousse mit Erdbeerpüree

	Von
1 Bund Zwerg- oder Thai-Basilikum	die Blättchen abzupfen und hacken.
500 g Erdbeeren	waschen, das Grün entfernen und 250 g mit
½ Banane	
500 g Joghurt	und dem Basilikum pürieren.
10 g Guarkernmehl	einrühren. Den Rest der Erdbeeren achteln.
40 g 90%ige Schokolade	mit dem Messer grob raspeln. Basilikum-Joghurt-Mousse in Gläser abfüllen und mit Erdbeeren und Schokoraspeln servieren.

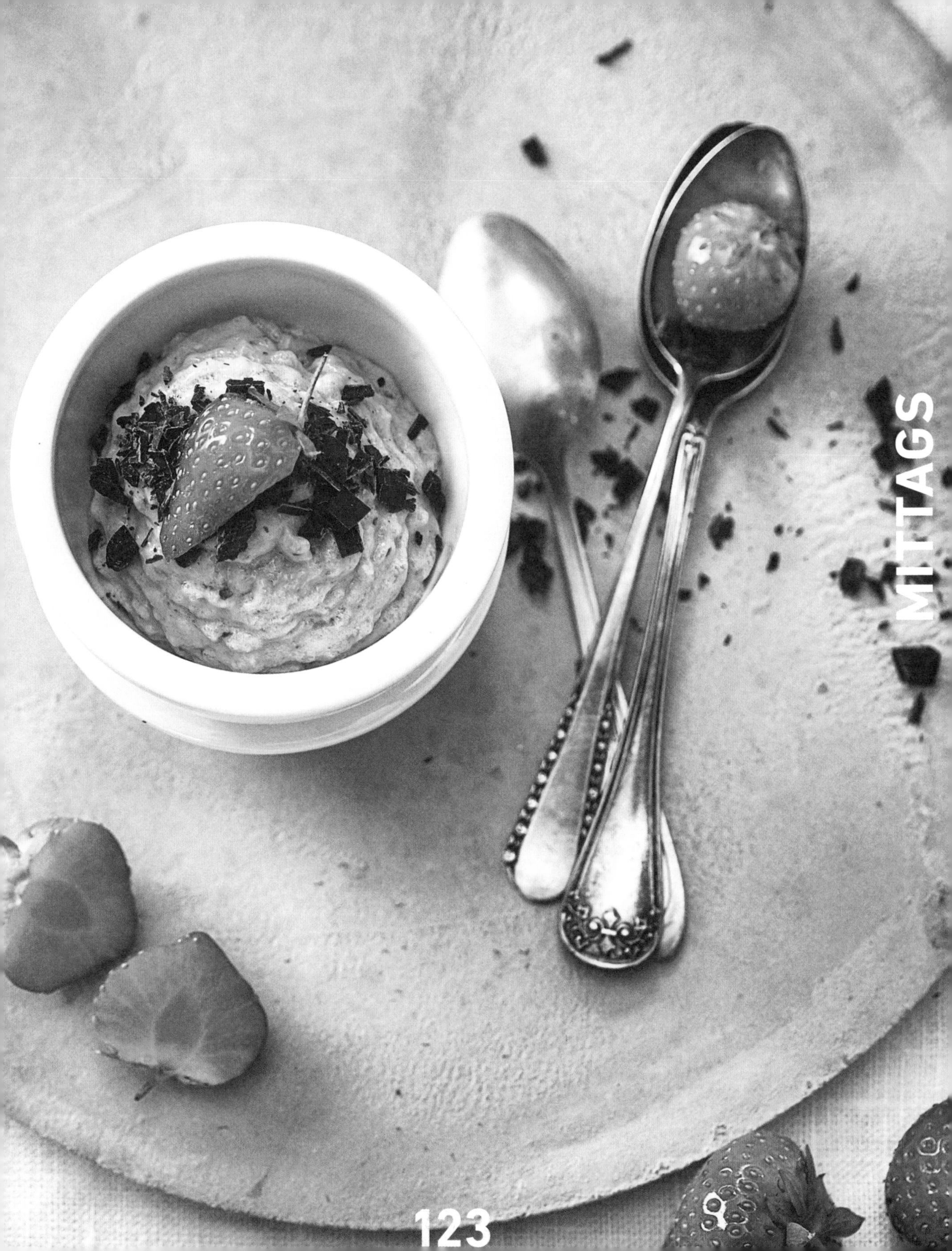

Orientalisches Konfekt
(ca. 15–20 Stück)

50 g getrocknete Feigen	fein würfeln und mit
25 ml heißem Espresso	übergießen.
50 g Macadamiakerne	grob hacken.
1 cm Ingwer	schälen und fein reiben.
2 Kardamomkapseln	andrücken, die Samen herausnehmen und im Mörser grob zerreiben. Zusammen mit dem Ingwer
100 g 90%ige Schokolade	
50 g Kokosöl	und
½ TL Zimtpulver	in einem Topf schmelzen. Feigen zur Schokoladenmischung geben. Auf einem Brett mit Backpapier Häufchen machen und kalt stellen.

Kardamom-Joghurtcreme mit Mangosoße

10 Kardamomkapseln	andrücken, die Samen herausnehmen und im Mörser fein zerreiben. Mit
600 g Sahnejoghurt	mischen.
1 Mango	schälen und das Fruchtfleisch vom Stein schneiden. Mit dem Saft von
1 Limette	pürieren und zur Kardamom-Joghurtcreme servieren.

Kardamom gehört zu den Ingwergewächsen, allerdings wird hier nicht die Wurzel wie beim Ingwer oder Kurkuma verwendet, sondern die Frucht. Die grüne Kapsel mit ihren schwarzen Samen verströmt beim Mörsern ein eukalyptusartiges, blumiges Aroma, das jeder Speise einen ganz besonderen Geschmack verleiht.

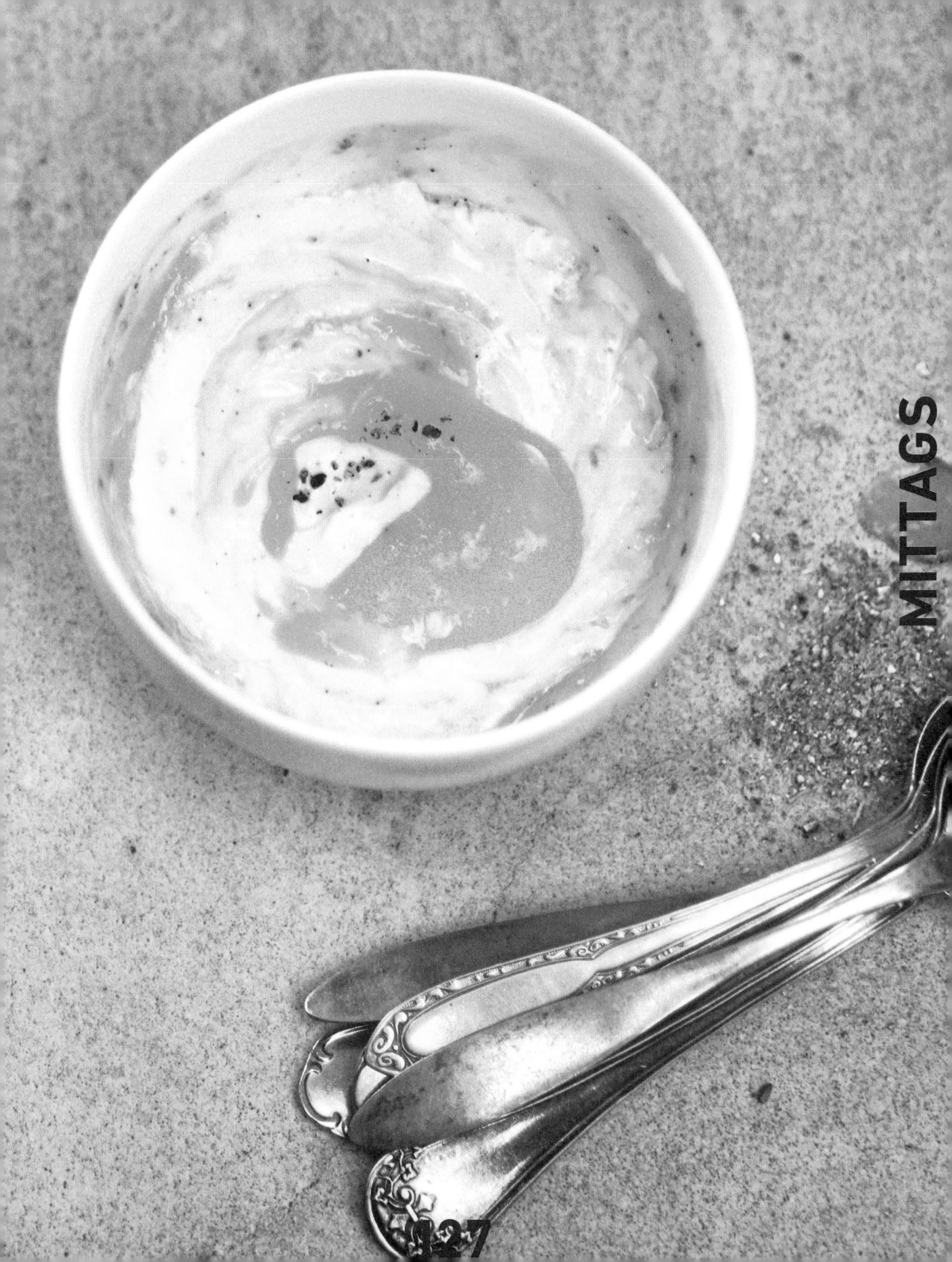

Süßer Vollkorn-Couscous mit Apfel-Birnen-Kompott, Datteln und Paranüssen

150 g Vollkorn-Couscous	mit 300 ml heißem Wasser übergießen und 15 Min. quellen lassen.
1 Apfel	und
1 Birne	schälen, das Kerngehäuse entnehmen und in Würfel schneiden.
1 cm Ingwer	schälen und reiben.
2 Datteln	waschen, halbieren, entkernen und klein schneiden. Alles zusammen mit
1 TL Zimtpulver	in
100 ml Apfelsaft	weich dünsten.
4 Paranüsse	hacken. Couscous mit dem Apfel-Birnen-Kompott mischen und mit den Paranüssen servieren.

Fruchtige Mandelsplitter

100 g 90%ige Schokolade	im Wasserbad schmelzen.
100 g getrocknete Früchte (z. B. Aprikosen, Feigen, Datteln)	in kleine Stücke schneiden. Zusammen mit
50 g Mandelstiften	mit der Schokolade und den Früchten mischen und auf einem Brett mit Backpapier auskippen und abkühlen lassen. Die Schokolade in mundgerechte Stücke brechen und in einer Dose aufbewahren.

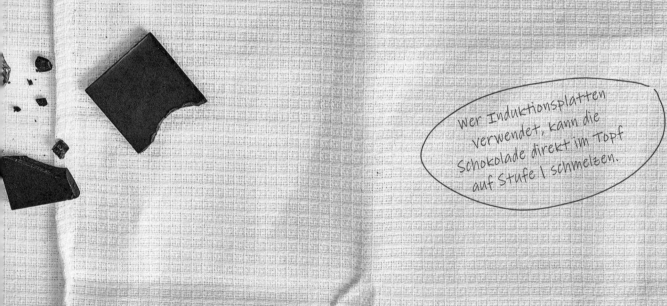

Wer Induktionsplatten verwendet, kann die Schokolade direkt im Topf auf Stufe I schmelzen.

After-Eight-Schokolade

100 g 90%ige Schokolade	im Wasserbad schmelzen.
3 Datteln	waschen, halbieren, entkernen und in kleine Stücke schneiden.
4 Stiele Minze	waschen, trocken schütteln und die Blättchen hacken. Datteln und Minze mit der Schokolade mischen und auf einem Brett mit Backpapier auskippen und abkühlen lassen. Die Schokolade in mundgerechte Stücke brechen und in einer Dose aufbewahren.

MITTAGS

ABENDS

Da unser Körper **am Abend** nicht mehr so gut mit (schnellen) Kohlenhydraten klarkommt, brauchen wir eine Alternative. Die Zeit für gesunde Fettbomben bricht an: fettiger Fisch, Mediterranes mit reichlich Olivenöl, Nüsse, Käse! Gemüse und Hülsenfrüchte sind jederzeit willkommen, da sie entweder nicht so viele Kohlenhydrate enthalten oder nur solche, die sehr langsam verdaut werden. Nachdem man sich den Magen auf diese Weise gefüllt hat, kann man sich dann durchaus auch einen kleinen Nachtisch mit Früchten gönnen.

Winter-Ofengemüse mit Kaperndip

600 g Wintergemüse (z. B. Rote Beete, Pastinake, Steckrübe, Kürbis)	schälen und in Würfel schneiden.
2 Knoblauchzehen	zerkleinern.
1 Rote Zwiebel	vierteln und die einzelnen Schichten abnehmen. Das Gemüse mit dem Knoblauch und den Zwiebeln mit
4 EL Olivenöl	auf einem Backblech ca. 40 Min. bei 200 °C im Ofen backen. Mit
Salz und Pfeffer	würzen.

Für den Kaperndip

2 EL Kapern	und
4 Sardellenfilets	hacken und mit
150 g Crème fraîche	und
100 g Joghurt	mischen. Ofengemüse mit dem Kaperndip servieren.

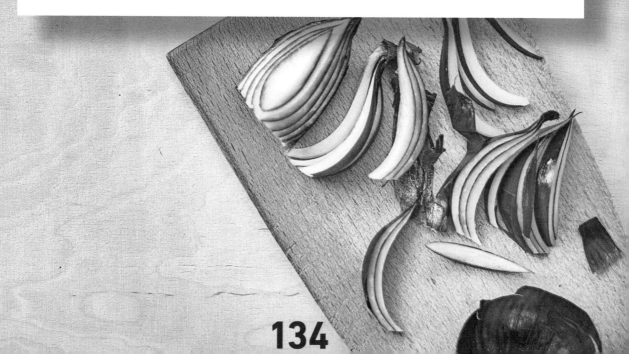

Dal mit Kichererbsen und Erdnüssen

1 Zwiebel	und
1 Knoblauchzehe	klein schneiden.
2 cm Ingwer	schälen und fein würfeln. Alles zusammen mit
1 TL Kreuzkümmel	
1 TL Kurkumapulver	
1 TL gemahlenem Koriander	
1 TL Paprikapulver edelsüß	und
1 Messerspitze Chilipulver	in
1 EL Kokosöl	andünsten.
200 g Rote Linsen	dazugeben und mit
300 g stückigen Tomaten	und
200 ml Gemüsefond	in ca. 15 Min. weich köcheln lassen.
200 g gekochte Kichererbsen	abspülen, dazugeben und mit
Zitronensaft	und
Salz	abschmecken. Mit
2 EL gesalzenen Erdnüssen	servieren.

Schnell, einfach und richtig lecker!

Bohneneintopf mit Feta

2 Rote Zwiebel	und
2 Knoblauchzehen	würfeln.
100 g Petersilienwurzel	und
150 g Karotten	schälen und in kleine Würfel schneiden. Alles in
2 EL Olivenöl	andünsten und mit
Salz	würzen.
600 g stückige Tomaten	zum Gemüse geben und dieses weich dünsten.
300 g gekochte Kidneybohnen	und
300 g gekochte Weiße Bohnen	abspülen und mit
Paprikapulver edelsüß	
Salz und Pfeffer	abschmecken. Von
10 Stielen Thymian	die Blättchen abstreifen.
400 g Feta	würfeln. Bohneneintopf mit Thymian und Feta servieren.

Ofengemüse mit gratiniertem Ziegenkäse und Zimt-Tomatendip

400 g Zucchini	
400 g Auberginen	und
300 g Paprika	waschen, putzen und in ca. 1 cm große Stücke schneiden. Mit
4 EL Olivenöl	und
4 Zweigen Rosmarin	auf ein Backblech geben und bei 200 °C Ober- und Unterhitze ca. 40 Min. backen, bis das Gemüse weich ist. Dann
4 Scheiben Ziegenkäse	auf das Gemüse legen und übergrillen.

Für den Zimt-Tomatendip

1 Zwiebel	fein würfeln.
250 g Tomaten	waschen und klein schneiden. Zwiebel in
1 EL Olivenöl	andünsten.
50 g Rote Linsen	die Tomaten und
100 ml Gemüsefond	dazugeben und in ca. 15 Min. weich kochen. Von
5 Stielen Minze	die Blättchen abzupfen und fein hacken. Zusammen mit
1 Messerspitze Zimtpulver	zu den Tomaten geben und mit
Salz	und
Chilipulver	abschmecken.

Karotten-Kurkuma-Suppe à la Bas

500 g Karotten	schälen und zerkleinern. In
1 l Gemüsefond	ca. 20–25 Min. weich kochen und mit dem Stabmixer pürieren. Mit
2 TL Curry	
1 TL Kurkumapulver	
1 Prise gemahlenem Kümmel	
Salz und Pfeffer	würzen und zum Servieren
2 EL Crème fraîche	unterrühren.

Mit frischer Petersilie servieren!

Toskanische Tomatensuppe mit gratinierten Tomaten

1 Zwiebel	und
2 Knoblauchzehen	klein schneiden und in
1 EL Olivenöl	andünsten.
1 kg Tomaten	kreuzweise einschneiden und kurz in kochendes Wasser geben, bis sich die Haut löst. Dann die Haut abziehen. Tomaten etwas zerkleinern und mit der Zwiebelmischung einkochen. Nach Wunsch pürieren.
1 Bund Basilikum	fein hacken. Tomatensuppe mit
Salz	und
Chilipulver	abschmecken und Basilikum dazugeben.

Für die gratinierten Tomaten

12 Cocktailtomaten	halbieren und auf ein Backblech legen.
50 g Parmesan	reiben.
½ Bund Basilikum	und
1 Bund Petersilie	sehr fein hacken und mit Parmesan,
2 EL Olivenöl	und
Salz	mischen. Auf jede Tomatenhälfte ein wenig von dem Kräutermix geben. Im Ofen ca. 4–5 Min. übergrillen. Gratinierte Tomaten zur Suppe, als Beilage oder als Fingerfood servieren.

Selleriesuppe mit Birne und Gorgonzola

2 Zwiebeln	zerkleinern.
400 g Knollensellerie	und
200 g Birnen	schälen und klein schneiden. Zwiebeln in
2 EL Rapsöl	glasig dünsten, Sellerie dazugeben. Mit
300 ml Gemüsefond	aufgießen und weich kochen. Später Birnen dazugeben und beides weich kochen. Suppe fein pürieren und passieren (durch ein feines Sieb drücken). Mit
Muskatnuss	
Salz und Pfeffer	abschmecken.
160 g Crème fraîche	mit
80 g Gorgonzola	mischen und zur Suppe servieren.

Zucchinipuffer mit Tsatsiki

500 g Zucchini	waschen, putzen und grob raspeln.
3 Frühlingszwiebeln	waschen, putzen und in sehr dünne Ringe schneiden. Zucchiniraspel und Frühlingszwiebel mit
50 g gemahlenen Haselnüssen	
2 EL Vollkornmehl	
50 g geriebenem Käse	und
3–4 Eiern	verrühren. Mit
Salz und Pfeffer	würzen. In einer großen Pfanne
2 EL Olivenöl	erhitzen. Jeweils 1 gehäuften EL Zucchinimasse hineinsetzen und flach drücken. Von jeder Seite bei mittlerer Hitze in ca. 4 Min. goldbraun braten. Puffer auf Küchenpapier abtropfen lassen.

Für das Tsatsiki

100 g Salatgurke	schälen, längs halbieren und entkernen. Die Gurke grob raspeln.
1 Knoblauchzehe	pressen. Gurkenraspel mit Knoblauch,
3 EL Olivenöl	und
400 g Sahnejoghurt	mischen. Zucchinipuffer mit Tsatsiki und
50 g Grünen Oliven	servieren.

Die Gemüse-Alternative zu den Fischfrikadellen schlechthin!

Mediterranes Ofengemüse mit Kichererbsen und Minzjoghurt

1 Blumenkohl	waschen und die Röschen einzeln abschneiden.
2 Süßkartoffeln	schälen und in ca. 2 cm große Würfel schneiden.
3 Karotten	schälen und in Scheiben schneiden.
1 Aubergine	putzen und in Würfel schneiden.
4 Knoblauchzehen	schälen.
1 Chilischote	aufschneiden und die Kerne entfernen, dann zerkleinern. Alles in einer ofenfesten Form oder auf einem Backblech mit
6 EL Olivenöl	
1 EL gemahlenem Koriander	
3 TL Paprikapulver edelsüß	
Salz und Pfeffer	mischen und bei 200 °C Ober- und Unterhitze für ca. 25 Min. in den Ofen schieben.
400 g gekochte Kichererbsen	abspülen.
200 g Feta	zerbröseln. Beides zusammen mit
150 g Oliven (ohne Stein)	und
3 EL Sesam	über dem Gemüse verteilen und weitere 10 Min. garen.
1 Granatapfel	halbieren und die Kerne mit einem Kochlöffel ausklopfen.
½ Bund Petersilie	grob hacken.

Für den Minzjoghurt

	Von
2 Stielen Minze	die Blätter abzupfen und fein hacken. Von
½ Limette	den Saft auspressen und zusammen mit der Minze unter
250 g Sahnejoghurt	rühren. Ofengemüse mit Granatapfel und Petersilie bestreuen und mit Minzjoghurt servieren.

ABENDS

Linsen-Tomaten-Curry

1 Zwiebel	und
2 Knoblauchzehen	fein würfeln.
400 g Auberginen	putzen, in 2 cm große Würfel schneiden und in
3 EL Olivenöl	anbraten. Zwiebel und Knoblauch dazugeben. Mit
1,5 EL Kreuzkümmel	
1 Zimtstange	
½ TL Chilipulver	würzen und mit
800 g gewürfelten Tomaten	und
500 ml Gemüsefond	aufgießen.
250 g Gelbe Linsen	und
2 EL Rosinen	dazugeben und ca. 20 Min. bei mittlerer Hitze kochen lassen. Mit
Salz und Pfeffer	abschmecken.
1 Limette	auspressen und den Saft zum Curry geben.
5 Stiele Petersilie	und
1 Bund Koriander	hacken. Curry mit den Kräutern servieren.

Zwiebelsuppe mit Blauschimmelkäse

600 g Gemüsezwiebel	in feine Streifen schneiden. Von
4 Stielen Thymian	die Blättchen abzupfen. Zwiebel und Thymian in
4 EL Olivenöl	andünsten und mit
750 ml Gemüsefond	und
250 ml Weißwein	aufgießen. Die Suppe ca. 20 Min. köcheln lassen, bis die Zwiebeln weich sind.
100 g Blauschimmelkäse (z. B. Roquefort)	zerbröseln und die Suppe damit servieren.

Stangenselleriesalat mit Paprika und Champignons

150 g Frühlingszwiebel	putzen und in feine Ringe schneiden.
150 g Staudensellerie	und
150 g Rote Paprika	waschen, putzen und klein schneiden. Alles in
2 EL Rapsöl	andünsten.
150 g Champignons	vierteln bzw. achteln und dazugeben. Mit
2 EL Weißweinessig	und
2 EL Kürbiskernöl	ablöschen. Mit
Kümmel	
Salz und Pfeffer	abschmecken.
Kürbiskerne	ohne Fett in einer Pfanne rösten und dazu servieren.

Auberginenauflauf mit Pinienkernen

1 Aubergine	waschen, quer in 0,5 cm dicke Scheiben schneiden, auf ein Backblech mit Backpapier legen und mit
4 EL Olivenöl	von beiden Seiten einpinseln. Bei 200 °C Ober- und Unterhitze braten, bis die Aubergine bräunt (ca. 10 Min.).
500 g stückige Tomaten	mit
Salz und Pfeffer	würzen.
200 g Mozzarella	in Scheiben schneiden.
100 g Parmesan	reiben. Die Auberginenscheiben in eine ofenfeste Form legen und Tomaten darüber verteilen. Dann eine Schicht Mozzarella darauflegen. So lange fortfahren, bis alles aufgebraucht ist. Zuletzt mit Parmesan und
2 EL Pinienkernen	bestreuen und im Ofen bei 180 °C Ober- und Unterhitze (Umluft 160 °C) ca. 30–40 Min. backen. Von
½ Bund Basilikum	die Blätter abzupfen und den Auberginenauflauf damit servieren.

ABENDS

Schwarze Bohnencreme

250 g Schwarze Bohnen	über Nacht in Wasser einweichen und anschließend ca. 90 Min. weich kochen.
1 Zwiebel	und
1 Knoblauchzehe	klein schneiden und nach ca. 1 Stunde mitkochen.
½ Bund Petersilie	waschen und grob hacken. Alles zusammen mit
100 g Sauerrahm	und
1 EL Olivenöl	pürieren und mit
Salz	und
Chilipulver	abschmecken. Bohnencreme mit Gemüsesticks oder Vollkornbrot servieren.

Lachskoteletts mit Mangold und Weißwein aus dem Ofen

2 Knoblauchzehen	fein schneiden.
1 EL Kapern	fein hacken und mit
3 EL Olivenöl	
Salz und Pfeffer	mischen.
4 Lachskoteletts	in eine ofenfeste Form geben und das Kapernöl darüberträufeln.
1 kg Mangold	waschen, putzen und die Stiele in feine Scheiben schneiden. Die Blätter in etwas breitere Streifen schneiden und beides zum Lachs in die Auflaufform geben.
100 ml Weißwein	dazugießen und bei 200 °C Ober- und Unterhitze ca. 15–20 Min. im Ofen garen. Mit
Salz	würzen und mit
2 EL Rosa Pfefferbeeren	servieren.

Fischfrikadellen auf Sauerkraut

1 Zitrone	auspressen.
1 Knoblauchzehe	klein schneiden.
500 g Fischfilet (z. B. Rotbarsch, Zander, Kabeljau, Lachs)	waschen, trocken tupfen und in kleine Stücke schneiden. Fisch und Knoblauch mit 2 EL Zitronensaft pürieren.
1 Bund Petersilie	
½ Bund Dill	und
1 Stiel Salbei	waschen, trocken schütteln und die Blätter fein hacken. Die Kräuter mit
2 Eiern	und
50 g feinen Haferflocken	mischen, zum Fischpüree geben und mit
Salz und Pfeffer	abschmecken. Mit nassen Händen 8 kleine flache Frikadellen formen und in
2 EL Rapsöl	von beiden Seiten ca. 5 Min. anbraten, dann 5 Min. bei niedriger Temperatur weiterbraten.

Für das Sauerkraut

1 Zwiebel	in Ringe schneiden.
2 Äpfel	schälen, vierteln, das Kerngehäuse herausschneiden und in kleine Stücke schneiden. Beides mit
500 g Sauerkraut	
200 ml Gemüsefond	
3 Wacholderbeeren	
2 Lorbeerblättern	
Salz und Pfeffer	ca. 20–30 Min. köcheln lassen. Die Lorbeerblätter entfernen und die Fischpflanzerl zum Sauerkraut servieren. Fischfrikadellen passen auch zu gemischtem Salat oder Gemüse.

Eines meiner absoluten Lieblingsgerichte!

Tomatensuppe mit Fisch und Kichererbsen

1 Fenchel	waschen, putzen, halbieren, Strunk herausschneiden und in feine Streifen schneiden.
1 Zwiebel	halbieren und klein schneiden. Zusammen mit dem Fenchel in
1 EL Olivenöl	andünsten. Mit
500 g stückigen Tomaten	aufgießen und mit
1 TL gemahlenem Koriander	
1 TL Paprikapulver edelsüß	
1 Messerspitze Chilipulver	und
Salz	würzen und köcheln lassen.
500 g Fischfilet	waschen und in mundgerechte Stücke schneiden.
340 g gekochte Kichererbsen	abspülen, zusammen mit dem Fisch zu der Tomatensuppe geben und ca. 5 Min. gar ziehen lassen.
4 Stiele Petersilie	und
1 Stiel Minze	waschen, trocken schütteln und die Blättchen hacken. Mit
2 EL Sahnejoghurt	mischen und zur Tomatensuppe mit Fisch servieren.

Curry mit Shiitake und Fisch

200 g Zuckerschoten	putzen, waschen und schräg halbieren.
1 Karotte	schälen, längs halbieren und in dünne Scheiben schneiden.
3 Frühlingszwiebeln	putzen, waschen und in Ringe schneiden.
200 g Shiitake-Pilze	und
100 g Austernpilze	putzen und in Streifen schneiden. Alles in
2 EL Kokosöl	anbraten.
2 EL grüne Currypaste	dazugeben und mit
400 ml Kokosmilch	aufgießen und aufkochen. Mit
Limettensaft	
Sojasoße	und
Salz	abschmecken.
400 g Zanderfilet (ersatzweise Rotbarsch)	waschen, trocken tupfen und in ca. 2 cm große Würfel schneiden. In
2 EL Kokosöl	scharf anbraten.
½ Bund Koriander	waschen, trocken schütteln und fein hacken. Fisch zum Gemüsecurry geben und mit Koriander servieren.

Forelle à la Tini*

2 frische Forellen	waschen und innen mit
Salz und Pfeffer	würzen.
1 Rote Zwiebel	achteln.
2 Tomaten	waschen und vierteln.
1 Zucchino	waschen und in Stifte schneiden.
1 Zitrone	waschen und in Scheiben schneiden.
2 Knoblauchzehen	in Scheiben schneiden. Alles zusammen mit
4 Zweigen Rosmarin	
4 Stielen Thymian	und
6 Stielen Petersilie	in eine ofenfeste Form legen und mit
2 EL Olivenöl	beträufeln. Bei 180 °C im Ofen ca. 20 Min. garen.

* Tini ist meine Schwiegermutter, die sich als Naturheilkundlerin intensiv mit Ernährung auseinandergesetzt hat.

Heilbuttfilet mit Zitronen-Kapern-Marinade, Fenchel und Cocktailtomaten

4 Heilbuttfilets (à 200 g)	in
3 EL Olivenöl	von einer Seite (falls der Fisch noch eine Haut hat: auf der Hautseite) braten und bei mittlerer Hitze durchziehen lassen.
1 Zitrone	waschen, die Schale abreiben und den Saft auspressen.
2 EL Kapern	hacken, mit der Zitronenschale, dem Saft und
2 EL Olivenöl	mischen und mit
Salz	und
Weißem Pfeffer	würzen.

Für das Fenchelgemüse

2 Fenchel	putzen, halbieren und den Strunk herausschneiden. Fenchel längs achteln und in Olivenöl braten.
Cocktailtomaten	dazugeben und mitbraten. Das Gemüse salzen. Den Fisch mit der Kapern-Zitronen-Marinade beträufeln und mit Fenchel und Tomaten servieren. Wer mag, kann dazu Quinoa servieren.

Sardinen aus dem Ofen mit Oliven, Fenchel und gebackenen Tomaten

4 EL Olivenöl	in eine ofenfeste Form geben.
24 Sardinen	hineinlegen und mit
Salz und Pfeffer	würzen.
1 Zitrone	waschen, die Schale abreiben und über den Sardinen verteilen.
2 Fenchel	waschen, putzen, halbieren, den Strunk entfernen, in Scheiben schneiden.
500 g Cocktailtomaten	waschen. Fenchel und Tomaten in die Form legen und mit
4 EL Olivenöl	beträufeln und mit
Salz und Pfeffer	würzen.
50 g Schwarze Oliven (ohne Stein)	darauf verteilen. Bei 180 °C Umluft für ca. 20 Min. im Ofen garen.

Kräuterlachs mit Spinaterbsen

250 g Gelbe Schälerbsen	in 700 ml Wasser ca. 10 Min. weich kochen.
200 g Spinat	waschen, putzen und in Streifen schneiden. Den Spinat unter die Schälerbsen rühren, mit
Salz und Pfeffer	abschmecken und mit geschlossenem Deckel bei mittlerer Temperatur ziehen lassen.

Für den Kräuterlachs

	Die Blätter von
½ Bund Petersilie	
½ Bund Dill	und
1 Stiel Minze	waschen, putzen und hacken.
1 Zitrone	waschen, die Schale abreiben und den Saft auspressen.
100 g Joghurt	mit
Salz und Pfeffer	und 1 TL Zitronenschale abschmecken und zu den Linsen servieren. 1 EL Zitronensaft mit
3 EL Olivenöl	
Salz und Pfeffer	verrühren.
4 Lachsfilets (à ca. 200 g)	in eine ofenfeste Form geben und in der Marinade wenden. Im Ofen bei 120 °C ca. 20 Min. ziehen lassen. Lachsfilets zu den Erbsen servieren.

Lachsforelle mit Prosecco-Safran-Soße und Kohlrabigemüse

2 Schalotten	würfeln und in
1 EL Olivenöl	andünsten.
300 ml Fischfond (ersatzweise Gemüsefond)	
300 ml Prosecco (ersatzweise Weißwein)	und
1 Messerspitze Safran	dazugeben und aufkochen.
4 Lachsforellenfilets	in dem Sud ca. 5 Min. ziehen lassen, herausnehmen und warm stellen.
200 ml Kokosmilch	zum Sud geben und stark einkochen. Mit
Salz und Pfeffer	abschmecken.

Für das Kohlrabigemüse

100 g Karotten	und
200 g Kohlrabi	schälen und in Stifte schneiden. In
Olivenöl	und etwas Fond bissfest garen und mit
Salz	abschmecken.

Die Soße pürieren und zusammen mit dem Gemüse zum Fisch servieren.
Wer mag, kann dazu Quinoa servieren.

Jakobsmuscheln und Garnelen mit Zitronencreme und frittierter Petersilie à la Sina*

Für die Zitronencreme

1 Zitrone	waschen, die Schale abreiben und den Saft von einer Hälfte auspressen. Beides mit
4 EL Crème fraîche	mischen und mit
Salz und Pfeffer	abschmecken.
	Von
4 Stielen Petersilie	die Blätter abzupfen.
1 Knoblauchzehe	schälen und fein zerkleinern. Die Petersilienblätter in
2 EL Olivenöl	knusprig braten.
8 Jakobsmuscheln	und
25 g geschälte Garnelen	von jeder Seite ca. 1 Min. braten. Am Ende Knoblauch dazugeben und kurz mitbraten (er sollte nicht braun werden). Jakobsmuscheln und Garnelen mit Zitronencreme und frittierter Petersilie servieren. Dazu passt gemischter Blattsalat.

* meine geliebte Frau

Sashimi vom Lachs mit Avocado

1 Limette	waschen, die Schale abreiben und den Saft auspressen. 1 TL Limettenschale und 1 EL Limettensaft mit
3 EL Olivenöl	
Salz	und
1 TL Rosa Pfefferbeeren	verrühren.
700 g frischen Lachs	in feine Scheiben schneiden.
1 Avocado	halbieren, schälen, den Kern herausnehmen und ebenfalls in feine Scheiben schneiden. Lachs und Avocado anrichten und mit der Vinaigrette beträufeln.

Mein superschneller
Low-Carb-Liebling!

Matjes mit Joghurtsoße

1 Essiggurke	würfeln.
1 Bund Dill	und
1 EL Kapern	fein hacken. Alles mit
200 g Sahnejoghurt	
100 g Sauerrahm	
50 g Schmand	
2 EL Zitronensaft	mischen und mit
Salz und Pfeffer	abschmecken.
1 Rote Zwiebel	in dünne Scheiben schneiden.
1 Apfel	schälen, halbieren, entkernen und in Würfel schneiden.
4 Matjesfilets	mit der Joghurtsoße, den Zwiebelringen und den Apfelwürfeln servieren.

Wintersalat mit Orangen-Vinaigrette

Für die Orangen-Vinaigrette

100 ml Orangensaft	mit
2 EL Zitronensaft	und
150 ml Olivenöl	leicht erwärmen und mit
Salz und Pfeffer	abschmecken.
200 g Knollensellerie	schälen und hobeln oder in feine Streifen schneiden.
125 g Rotkohl	putzen und in sehr feine Streifen schneiden. Die warme Vinaigrette über das Gemüse geben.
100 g Radicchio	waschen und in Streifen schneiden.
1 Chicorée	halbieren, Strunk entfernen und in Streifen schneiden.
40 g Champignons	putzen und in Scheiben schneiden. Alles mit dem Gemüse mischen.
1 Granatapfel	halbieren und die Kerne mit einem Kochlöffel ausklopfen.
25 g Haselnüsse	und
25 g Walnüsse	hacken.
150 g Camembert	in 8 Scheiben schneiden. Salat mit Nüssen und Käse servieren.

Avocadosalat mit Grapefruit und Garnelen

100 g Salatmix	waschen, putzen und trocken schleudern.
1 Grapefruit	schälen und dabei auch die weiße Haut entfernen. Die Filets zwischen den Trennhäuten herauslösen, dabei den Saft auffangen.
2 Avocados	schälen und das Fruchtfleisch längs in dünnen Scheiben vom Kern schneiden.
50 g Oliven	bereitstellen.
Für die Vinaigrette	
	Den Saft der Grapefruit,
2 EL Zitronensaft	
3 EL Olivenöl	und
Salz	mischen.
1 rote Chilischote	waschen, aufschneiden, die Kerne entfernen und in feine Ringe schneiden.
12 geschälte Garnelen	mit
2 EL Olivenöl	Chili und
1 Knoblauchzehe	von beiden Seiten kurz anbraten. Salat mit Avocado und Oliven anrichten und mit der Vinaigrette beträufeln. Mit Grapefruitfilets und Garnelen servieren.

Dazu passt auch gut jede Art von Samenkernen!

179

Marinierte Paprika mit Ziegenfrischkäse

3 Rote Paprika	halbieren, Strunk und Kerne entfernen und mit der Hautseite nach oben auf ein mit Backpapier ausgelegtes Backblech bei 200 °C Ober- und Unterhitze im Ofen rösten, bis die Haut aufplatzt (ca. 20 Min., darf auch an manchen Stellen schwarz werden). Kurz abkühlen lassen, dann die Haut abziehen und nochmals längs halbieren.

Für die Marinade

1,5 EL Zitronensaft	
4 EL Olivenöl	
1 Knoblauchzehe	
Salz und Pfeffer	mischen und Paprika damit marinieren. Die Blätter von
4 Stielen Basilikum	und
1 Stengel Minze	hacken und darüberstreuen.
2 EL Pinienkerne	in einer Pfanne ohne Fett rösten und mit
200 g Ziegenfrischkäse	zur Paprika servieren.

Mediterrane Sommerrollen mit Roten Linsen, Garnelen und Sojadip

40 g Rote Linsen	in 100 ml Wasser ca. 10 Min. weich kochen.
300 g Shiitake-Pilze	putzen und in
2 TL Sesamöl	anbraten.
4 Frühlingszwiebel	waschen, putzen, in feine Ringe schneiden und zu den Pilzen in die Pfanne geben.
300 g geschälte Garnelen	in
2 EL Sesamöl	kurz anbraten.
1 Paprika	waschen, halbieren, putzen und in feine Streifen schneiden.
1 Mango	schälen, Fruchtfleisch um den Kern abschneiden und grob zerkleinern.
½ Bund Koriander oder Thai-Basilikum	waschen, trocken schütteln und fein hacken.
50 g gesalzene Erdnüsse	grob hacken.
50 g Bambussprösslinge	abseihen.

Für den Sojadip

4 EL Sojasoße	
2 EL Limettensaft	und
1 Messerspitze Chilipulver	mischen.
16 runde Reispapierblätter	einzeln herausnehmen, in kaltes Wasser tauchen und auf ein feuchtes Küchentuch legen. Auf der unteren Hälfte alle Zutaten nach Geschmack verteilen, dabei seitlich 2 bis 3 cm frei lassen. Die Seiten über die Füllung schlagen und das Teigblatt fest aufrollen. Mit Sojadip servieren.

Griechischer Kichererbsensalat

150 g Salatgurke	waschen, halbieren und in Scheiben schneiden.
150 g Cocktailtomaten	waschen und halbieren.
1 Rote Zwiebel	schälen und in feine Würfel schneiden.
½ Bund Petersilie	waschen, trocken schütteln und fein hacken.
50 g Rucola	waschen.
150 g Feta	würfeln.
200 g gekochte Kichererbsen	abspülen. Alle Zutaten mit
50 g Schwarzen Oliven (ohne Stein)	
2 EL Zitronensaft	und
3 EL Olivenöl	mischen und mit
Salz und Pfeffer	abschmecken.

Warme Balsamico-Radieschen mit Kräuterziegenkäse und Kürbiskernen

1 Bund Radieschen	vierteln oder achteln, je nach Größe der Radieschen, in
2 EL Sonnenblumenöl	mit etwas
Salz	dünsten.
2 EL Aceto Balsamico	dazugeben. Mit
Salz und Pfeffer	abschmecken.
200 g Ziegenfrischkäse	in 4 Portionen teilen.
verschiedene Kräuter (z.B. Schnittlauch, Petersilie, Kerbel, Dill etc.)	fein hacken und den Käse darin wälzen.
2 EL Kürbiskerne	in einer Pfanne ohne Fett rösten. Kräuterziegenkäse zu den Radieschen servieren und mit Kürbiskernen und
2 EL Kürbiskernöl	anrichten. Balsamico-Radieschen eignen sich auch als Beilage zu Fleisch oder Fisch.

Rote-Beete-Carpaccio

2 gekochte Rote Beete	in sehr dünne Scheiben schneiden. Auf einem Teller fächerförmig anrichten.

Für die Vinaigrette

2 EL Aceto Balsamico	
4 EL Olivenöl	
Salz und Pfeffer	mischen und darüber verteilen. Mit je
1 EL Crème fraîche	
1 EL gehackten Walnüssen	und
frisch geriebenem Meerrettich	anrichten. Dazu passen auch geräucherter Fisch und Vollkornbrot.

Sommerlicher Belugalinsensalat

100 g Belugalinsen	in 300 ml Wasser mit
1 Lorbeerblatt	und
1 Knoblauchzehe	in ca. 25 Min. weich kochen.
10 Cocktailtomaten	halbieren.
1 Gelbe Paprika	waschen, putzen und in Würfel schneiden.
3 Frühlingszwiebeln	waschen, putzen und in feine Ringe schneiden.
4 getrocknete Tomaten	klein schneiden.
½ Bund Petersilie	waschen und trocken schütteln. Von
½ Bund Basilikum	die Blätter abzupfen und die Kräuter hacken. Alles mit den Linsen mischen.
100 g Rucola	waschen.
100 g Ziegen- oder Schafskäse	in Würfel schneiden.

Für die Vinaigrette

30 ml Aceto Balsamico	mit
80 ml Olivenöl	mischen. Mit
Salz und Pfeffer	abschmecken. Belugalinsen mit der Vinaigrette mischen und mit Rucola und Käse servieren.

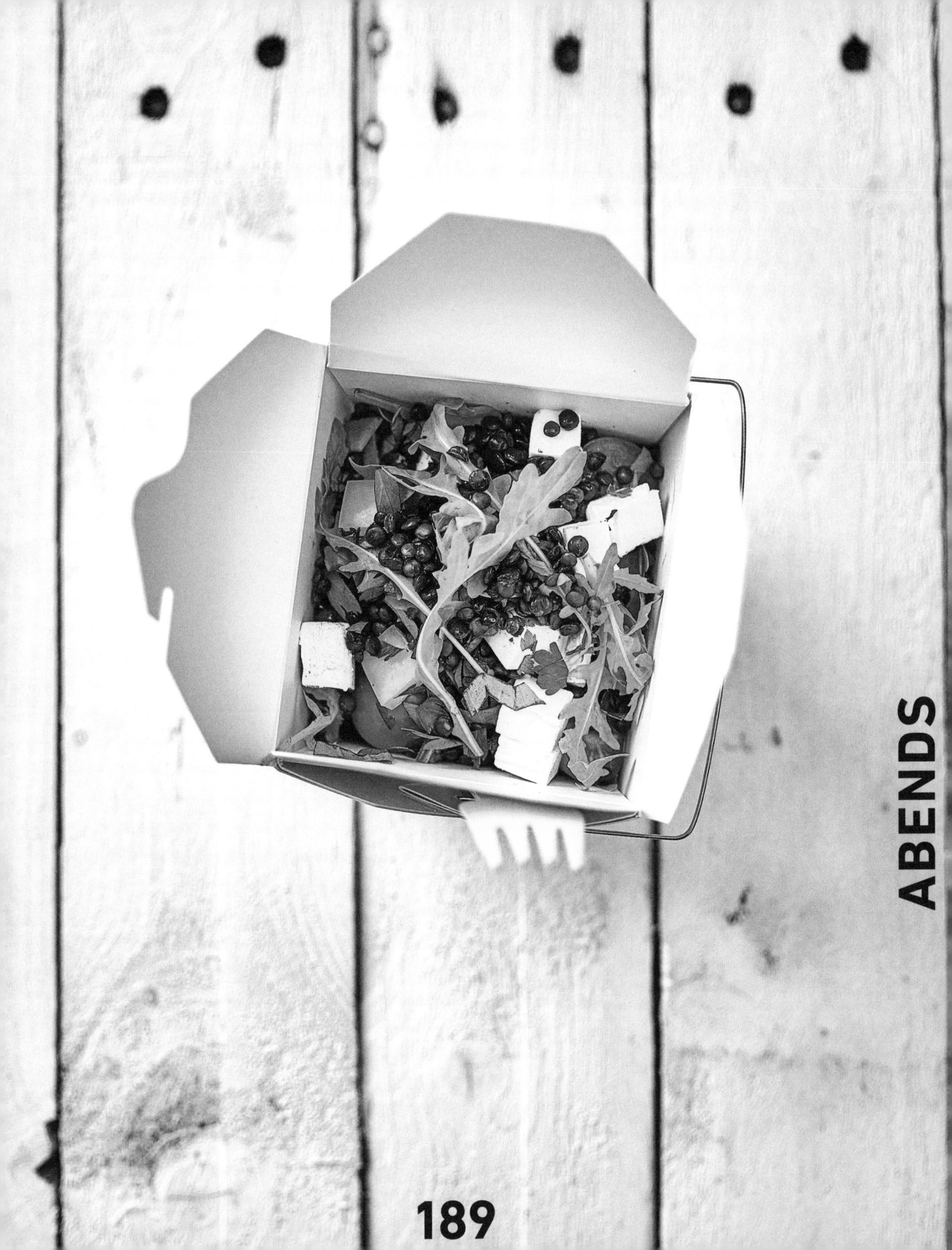

Blattsalate mit Grünen Linsen und gebackenem Feta

100 g Grüne Linsen	ca. 45 Min. kochen, abseihen und etwas abkühlen lassen.
1 EL Sonnenblumenkerne	in einer Pfanne ohne Fett rösten.
100 g Blattsalate	putzen.
200 g Feta	würfeln und im Ofen oder in der Pfanne mit
1 EL Olivenöl	erhitzen.
Joghurt-Vinaigrette	Siehe Seite 103. Blattsalate und Linsen mit Joghurt-Vinaigrette beträufeln und mit Feta,
½ TL Rosa Pfefferbeeren	und Sonnenblumenkernen servieren. Statt Feta kann man auch geräuchertes Forellenfilet zum Salat essen.

Im Laufe der Recherche habe ich Linsen immer mehr lieben gelernt. Sie enthalten ordentlich pflanzliches Eiweiß, reichlich Ballaststoffe und Kohlenhydrate, die von unserem Körper sehr gemächlich verdaut werden, sprich: Der Blutzuckerspiegel steigt nur sanft an, was günstig ist. Dieser Effekt überträgt sich sogar auf die nächste Speise, und zwar dahingehend, dass auch diese – selbst wenn wir sie Stunden nach dem Linsengericht zu uns nehmen – den Blutzuckerspiegel geringer als üblich ansteigen lässt. Man spricht vom wundersamen »Linseneffekt«!

Wintersalat mit gebratenem Brokkoli und gerösteten Haselnüssen

150 g Wintersalate (z. B. Feldsalat, Postelein, Chicorée)	waschen und putzen.
1 Apfel	vierteln, entkernen und in dünne Scheiben schneiden.
1 Brokkoli	in Röschen zerkleinern und diese halbieren. Den Brokkoli in
2 EL Rapsöl	braten und mit
Salz	und
Pfeffer	würzen.
40 g Haselnüsse	rösten und hacken.

Für die Vinaigrette

2 EL Apfelessig	mit
4 EL Haselnussöl (ersatzweise Rapsöl oder Olivenöl)	und
1 EL Joghurt	mischen und mit
Salz und Pfeffer	abschmecken. Salat mit der Vinaigrette beträufeln und mit Apfelscheiben, Brokkoli und Nüssen servieren.

Marokkanischer Tomatensalat

1 kg Tomaten	waschen, putzen und achteln.
2 Frühlingszwiebeln	waschen, putzen und in feine Ringe schneiden.
¼ Bund Petersilie	und
¼ Bund Koriander	waschen, trocken schütteln und grob hacken. Tomaten mit Zwiebeln, Petersilie und Koriander mischen.

Für die Vinaigrette

1 TL Kreuzkümmel	fein mörsern und mit
2 EL Aceto Balsamico	
4 EL Olivenöl	
Salz und Pfeffer	verrühren und den Tomatensalat damit mischen.

Diese Art Tomatensalat habe ich auf einer Marokkoreise kennengelernt.

ABENDS

193

Gemüsesalat mit Joghurt-Vinaigrette und gerösteten Sonnenblumenkernen

2 Kohlrabi	in Stifte schneiden und in
2 EL Olivenöl	bissfest braten.
1 Bund Radieschen	waschen, putzen und vierteln.
200 g Zuckerschoten	putzen und ca. 5 Min. kochen.
100 g Babyspinat	putzen.
1 Avocado	halbieren, den Kern entnehmen, schälen und in Spalten schneiden.
3 EL Sonnenblumenkerne	in einer Pfanne ohne Fett rösten.

Für die Joghurt-Vinaigrette

2 EL Zitronensaft	mit
100 g Joghurt	und
2 EL Avocado-Öl (ersatzweise Olivenöl)	mischen und mit
Salz	und
Grünem Pfeffer	abschmecken. Gemüse mit dem Joghurt-Dressing mischen und mit Sonnenblumenkernen servieren.

Mozzarella auf Linsensalat

250 g Braune Linsen	in 750 ml Wasser in ca. 30 Min. weich kochen.
1 Karotte	schälen und grob raspeln.
Für die Vinaigrette	
2 EL Apfelessig	mit
1 TL Senf	und
3 EL Olivenöl	verrühren. Die Linsen mit der Vinaigrette mischen.
½ Bund Schnittlauch	waschen, trocken schütteln und in feine Ringe schneiden und unter den Linsensalat mischen.
2 Mozzarella	in Scheiben schneiden und Linsensalat darauf anrichten.

ABENDS

Falafel mit Minzjoghurt

400 g gekochte Kichererbsen	abspülen.
1 Zwiebel	und
1 Knoblauchzehe	zerkleinern.
4 Stiele Petersilie	waschen, trocken schütteln und die Blättchen abzupfen. Alles zusammen mit
½ TL gemahlenem Kreuzkümmel	
½ TL gemahlenem Koriander	
1 Messerspitze Chilipulver	und
1 TL Backpulver	pürieren und zu Bällchen formen. In einem kleinen, hohen Topf mit heißem
Kokosöl	frittieren. Die Falafel mit Minzjoghurt (siehe Seite 77) servieren.

Fenchel-Carpaccio mit Melone und Parmesan

½ Charentais-Melone	schälen, entkernen und in runde Scheiben schneiden und auf 4 Tellern anrichten.
2 Fenchel	waschen, putzen, halbieren, den Strunk jeweils heraus- schneiden und die Fenchel in hauchdünne Scheiben schneiden.
Für die Vinaigrette	
1 Zitrone	auspressen, 3 EL Zitronensaft mit
6 EL Olivenöl	
Salz und Pfeffer	mischen und den Fenchel darin marinieren.
40 g Parmesan	reiben. Fenchel in der Mitte der Melonenscheibe anrichten und mit Parmesan servieren.

Caprese à la Bas

2 Ochsenherztomaten	waschen, in Scheiben schneiden, auf einer Platte anrichten und salzen.
2 Mozzarella oder Burrata	in Scheiben schneiden und auf die Tomaten legen. Mit
mehreren EL Olivenöl	übergießen. Die Blätter von
½ Bund Basilikum oder 4 Stielen Oregano	abzupfen und zu den Tomaten mit Mozzarella servieren.

Ich bevorzuge Büffel-Mozzarella.

Bratapfel

4 säuerliche Äpfel (z. B. Boskop)	waschen, den Deckel abschneiden und das Kerngehäuse mit einem Apfelausstecher großzügig entfernen. Äpfel in eine ofenfeste Form setzen.
1 Orange	waschen, die Schale abreiben und den Saft auspressen. Schale und Saft mit
80 g gemahlenen Haselnüssen	und
50 g Rosinen	mischen.
1 TL Zimtpulver	und
½ TL gemahlene Nelken	zu der Haselnussmischung geben. Die Füllung in die Äpfel verteilen, Deckel daraufsetzen und im Ofen bei 180 °C Umluft ca. 25 Min. backen.

Blaubeersorbet à la Joni*

200 g tiefgefrorene Blaubeeren	
½ Banane	und
100 g Sahnejoghurt	pürieren und mit den Blättchen von
2 Stielen Minze	anrichten.

Schmeckt auch wunderbar mit anderen tiefgefrorenen Beeren, z. B. Erdbeeren.

Unter uns: Dazu passt auch ein Stückchen dunkle Schokolade!

* mein 5-jähriger Sohn, der das am liebsten täglich selber mit dem Stabmixer mixt.

Gewürzapfel mit Pekannüssen

2 Orangen	waschen, die Schale abreiben und den Saft auspressen. Schale und Saft mit
200 ml Weißwein	
2 Sternanis	
2 Zimtstangen	und
4 Nelken	aufkochen.
4 Äpfel	schälen, das Kerngehäuse entfernen und würfeln. Apfelwürfel im Würzsud bei mittlerer Temperatur weich garen.
16 Pekannüsse	grob hacken. Gewürzapfel mit Pekannüssen servieren.

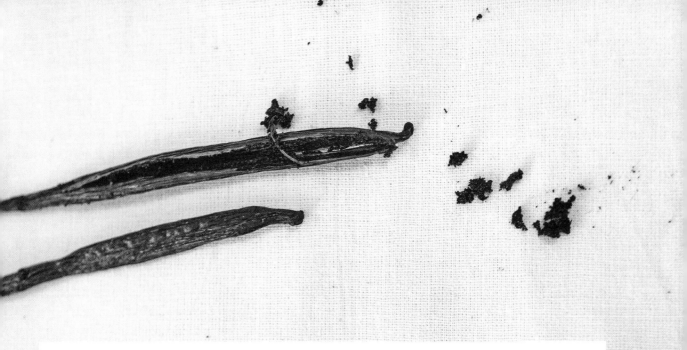

Glühwein-Zwetschgen mit Vanillequark und gerösteten Mandelblättchen

500 g Zwetschgen	waschen, halbieren, entkernen und klein schneiden.
200 ml Rotwein	mit
1 TL Zimtpulver	
2 Nelken	und
1 Sternanis	aufkochen, Zwetschgen dazugeben und köcheln lassen.

Für den Vanillequark

100 g Quark	mit
50 g Sahnejoghurt	und
1 Messerspitze Vanille	mischen.
50 g Mandelblättchen	rösten. Glühwein-Zwetschgen mit Vanillequark und Mandelblättchen servieren.

Dattelkonfekt

12 Medjool-Datteln	waschen und die Kerne entfernen. 4 Datteln mit
25 g Kokosflocken	füllen.
2 EL Walnüsse	hacken und mit
50 g Frischkäse	mischen und weitere 4 Datteln damit füllen.
1 Orange	waschen, die Schale abreiben und die Frucht auspressen. Mit
30 g Mandelmus	und 1 EL Orangensaft vermischen und die verbleibenden 4 Datteln füllen.

Die Medjool-Dattel wird auch Königsdattel genannt. Sie eignet sich aufgrund ihrer Größe und Saftigkeit besonders gut zum Füllen und ist mit ihrer feinen Süße und ihrem zarten Schmelz eine köstliche, gesunde Leckerei!

Schoko-Eis

3 Bananen	schälen und in Scheiben schneiden. Ein Brettchen mit Klarsichtfolie auslegen, Bananenscheiben darauflegen und für mindestens 1,5 Stunden tiefgefrieren. Dann zusammen mit
2 EL Kakao	und
1,5 EL Mandelmus	im Mixer pürieren. Sofort mit
2 EL Mandelblättchen	servieren.

Eine gute Verwertung für reife Bananen ist dieses einfache und wunderbar cremige Eis, das nicht nur Kindern gut schmeckt.

206

Erdbeerquark

500 g Erdbeeren	waschen, putzen und die Hälfte pürieren. Mit
500 g Quark	mischen. Die restlichen Erdbeeren in kleine Stücke schneiden.
50 g Mandelblättchen	in einer Pfanne ohne Fett rösten. Von
3 Stielen Minze	die Blättchen abzupfen und hacken. Erdbeerquark mit Erdbeeren, Mandelblättchen und Minze servieren.

KOCHEN WIR UNS
DEN PLANETEN EIN
STÜCKCHEN GESÜNDER

Wie mich die Erfahrung mit dem **Ernährungskompass** verändert hat

_Als ich mit meiner Recherche begann, meine Ernährung umstellte und spürte, wie es mir besser ging, wurde mir klar, dass diese Umstellung nur dann sinnvoll ist, wenn ich sie nicht gleich morgen wieder aufgebe und zu meinen ehemals geliebten Paprikachips zurückkehre. Einziger kleiner Haken dabei: Wie oft hatte ich mir schon vorgenommen, mich zu verändern (nie mehr mit Ehefrau streiten, nicht so viel jammern und klagen, mehr zuhören …)! Ungefähr ebenso oft bin ich gescheitert …

_Die Sterne standen somit nicht allzu günstig. Und doch kann ich heute sagen: Ich bin jetzt vier Jahre dabei und selber überrascht, wie gut es funktioniert. Ich habe praktisch nie das Gefühl, ich würde auf etwas verzichten (na gut, wenn meine Frau vor meinen Augen zwei Stück Baumkuchen von unserem Berliner Lieblingsbäcker verschlingt, dann wird die Sache grenzwertig …). In vielerlei Hinsicht hat die Suche nach einer möglichst gesunden Ernährung mein Leben nicht ärmer gemacht, sondern bereichert.

> *Es ist ein irre motivierendes Gefühl, wenn du merkst, dass Älterwerden nicht unbedingt heißt: immer mehr Zipperlein, immer mehr Gebrechen, immer mehr Schmerzen. Nein, Älterwerden geht auch anders.*

Meine anderen Bücher sind ja von eher psychologisch-spiritueller Natur (Liebe, Intuition, Glück, Kreativität), und ich habe sie mit der Intention geschrieben, mich selbst und meine Leser zu inspirieren. Ja, es ging dabei auch darum, das Leben in eine positive Richtung zu verändern oder zumindest den Anstoß dazu zu geben. Nun muss ich feststellen, dass kein Buchprojekt mich und mein Leben so tiefgreifend und nachhaltig verändert hat wie der bodenständige, der stofflich-biologische *Ernährungskompass*.

_Das Abklingen meiner Herzbeschwerden war dabei das Wichtigste. Hinzu aber kommt das generelle Gefühl oder die Erfahrung, dass Älterwerden eben nicht unbedingt heißen muss, immer nur gebrechlicher zu werden. Älterwerden heißt für mich nicht mehr zwangsläufig und unausweichlich immer mehr Zipperlein, mehr Schmerzen, zunehmender Abbau und Verfall. Nein, Älterwerden geht auch anders.

_Älterwerden – ich erlebe es am eigenen Körper – kann auch damit einhergehen, dass man sich mit den Jahren fitter fühlt und von Schmerzen, die lange ein treuer Begleiter des Alltags waren, befreit wird (bei mir waren das auch ständige Kopfschmerzen, die verschwunden sind). Jenseits der rein biologischen Alterung können wir unseren eigenen Alterungsprozess mitgestalten. Wie alt unser Körper ist, liegt auch in unserer Hand. Das mag trivial klingen, aber wenn Sie dieses Prinzip wirklich verinnerlicht haben, kann und wird das Ihre Lebensqualität nachhaltig verbessern.

_Ich bin ein geborener Skeptiker, und mein früheres Ich hätte die Veränderungen in meinem Leben wahrscheinlich als Zufall oder sogar Unsinn abgetan. Aber für jeden, der erlebt hat, was ich erlebt habe, ist es das nicht. Auch deshalb bin ich überzeugt davon, dass alles, was ich sage oder hier aufschreibe, für andere – für Sie vielleicht – nicht mehr als ein Anstoß sein kann. Doch wenn meine Worte bewirken, dass auch nur ein einziger Mensch einen Anfang wagt, und sei es für ein paar Tage oder Wochen, dann hätten sich diese Worte, wie ich finde, schon gelohnt.

_Also, falls Sie nach wie vor skeptisch und noch nicht überzeugt sein sollten von der Macht der Ernährung, falls Sie zweifeln (»Lasst mich doch in Ruhe mit dem ganzen Diätenquatsch!«), was mir ja grundsätzlich sympathisch ist, würde ich Ihnen dies ans Herz legen: Probieren Sie es doch einfach mal. Was haben Sie zu verlieren? Versuchen Sie es. Versuchen Sie es so lange, wie es für Sie eben passt. Und erleben Sie selber, was passiert, ob etwas passiert. Urteilen Sie selber. Selber eine Veränderung zu erfahren ist ohnehin die wirksamste Motivation, die es gibt.

_Es kommt bei dieser ganzen Umstellung übrigens noch etwas Bedeutendes hinzu: Die Sensibilisierung, von der ich spreche, betrifft weit mehr als bloß mein Essen. Sie geht gewissermaßen über den Tellerrand hinaus. Ein für mich kritischer Aspekt in diesem Zusammenhang ist mein Verhältnis zu Fleisch und Massentierhaltung. Ich habe es schon im *Ernährungskompass* geschrieben: Früher kam bei mir immer, wirklich fast jeden Tag, Fleisch

auf den Tisch. Ein Essen ohne Fleisch war für mich nicht »komplett«, ein übler Scherz, der mir wie gesagt die Laune verdarb.

_Später, in meiner Zeit als Wissenschaftsredakteur beim *Tagesspiegel* in Berlin, begann ich erstmals über die Herkunft von Fleisch und über Tierwohl nachzudenken, ausgelöst durch hirnanatomische und andere Studien, die mir zunehmend klarmachten, wie ähnlich gewisse fundamentale Hirnstrukturen, die Gefühle wie Angst oder Schmerz hervorrufen, bei Mensch und Tier sind. Nur weil Tiere nicht über ihren Schmerz sprechen und Pamphlete darüber schreiben, nur weil sie nicht lautstark demonstrieren können, weil ihnen schlicht die entsprechenden Sprachzentren dafür fehlen, heißt das nicht, dass sie nicht ebenso intensiven Schmerz *spüren*. Die Schmerz- und Angstzentren nämlich sind sehr wohl vorhanden.

Man hält diese ganze Massentierhaltung doch nur dann aus, wenn man wegschaut. Aber ich habe lange genug weggeschaut. Zu lange. Ich will nicht mehr wegschauen.

_Ich achtete fortan darauf, mehr (und irgendwann ausschließlich) Fleisch aus artgerechter Tierhaltung zu kaufen, im Grunde aber änderte sich mein Essverhalten nicht wesentlich. Ich aß weiterhin Steaks, Würste, Geschnetzeltes, Schinken, Rinderrouladen.

_Heute esse ich kaum noch Fleisch. Ich esse davon inzwischen noch weniger, als ich im *Kompass* beschrieben habe – alles in allem nur noch ein paarmal im Jahr (rein gesundheitstechnisch könnte man nach meiner Einschätzung mehr essen, es geht mir also nicht bloß um meine Gesundheit). Anfangs fiel mir das schwer, ich gebe es zu. Ja, was diesen Aspekt betrifft, habe ich tatsächlich längere Zeit so etwas wie ein Gefühl von Verzicht gehabt. Für Wochen, wahrscheinlich eher Monate.

_Bis es sich irgendwann legte, das Verlangen nach Fleisch. Ich merkte: Ich brauche es nicht mehr. Es fehlt mir nicht mehr. Und aus dem Verzicht wurde schließlich mehr und mehr ein Gewinn. Erstens für mich selbst, weil ich mich körperlich gut dabei fühlte (was natürlich nicht nur am Fleischverzicht lag). Und dann eben auch mit Blick auf das Thema Massentierhaltung, die in vielerlei Hinsicht so grausam, so barbarisch ist, dass sie so einfach nicht weitergehen darf. Wenn man eine Sache nur aushält, indem man wegschaut, dann stimmt doch etwas nicht. Ich jedenfalls habe lange genug weggeschaut. Zu lange. Ich will nicht mehr wegschauen!

_Ich denke, in einigen Jahrzehnten – wenn es hoffentlich preiswertes Fleisch aus dem Labor gibt – werden zukünftige Generationen einmal auf unsere Zeit zurückblicken, wie wir heute auf die Sklaverei zurückblicken. Sie werden sich fragen: Wie konnte man diese industrielle Massentierhaltung damals als Normalität empfinden? Warum fehlte es an Bewusstsein dafür, dass auch diese anderen Wesen Schmerz empfinden und wie wir ein lebenswertes Leben führen wollen? Wie konnte man damals diesem enormen Leid gegenüber so blind sein?

_Bitte verstehen Sie mich nicht falsch: Ich sage das ohne Vorwurf an jene, die gern Fleisch essen. Wie gesagt, ich selbst habe mich den größten Teil meines bisherigen Lebens nicht um diese Frage gekümmert. Und hätte mein Herz mich nicht eines Tages wachgerüttelt, wer weiß, vielleicht würde ich heute noch so denken und handeln wie früher. Ich habe einfach nicht darüber nachgedacht. Erst die Vertiefung in das ganze Thema Ernährung hat mir auch für diesen Aspekt die Augen geöffnet.

_Was hat sich noch verändert? Wenn man die Ernährung umstellt und damit einen Schritt hin zu einer positiven Veränderung getan hat, fällt es viel leichter, den nächsten Schritt zu tun. Man ernährt sich besser und fühlt sich fitter, also macht auch Sport mehr Spaß, also bewegt man sich mehr und fühlt sich fitter. Der Sport hilft beim Stressabbau, wodurch man besser schläft, was dazu führt, dass man weniger heißhungrig auf Junkfood ist usw.

> Wenn man sich besser ernährt und sich dadurch fitter fühlt, macht auch der Sport mehr Spaß, was dazu führt, dass der Stress besser abgebaut wird, wodurch man besser schläft, was wiederum ausgeglichener stimmt – und so weiter …

_Gejoggt bin ich schon immer gern. Aber da in meinem Alter – grob gesagt so ab vierzig Jahren – die Muskelmasse üblicherweise Jahr für Jahr schwindet, habe ich mir (denn auch dieser Abbau ist nicht unausweichlich) eine Kugelhantel, einen sogenannten Kettlebell, zugelegt, den ich jetzt mehrmals die Woche schwingen lasse. Da könnte man ebenfalls meinen: So ein Ding legt man sich zu, hantiert ein paar Wochen damit herum, nur damit es früher oder später, meist früher, in der Rumpelkammer oder auf dem Müll landet. In diesem Fall aber hat es gut geklappt, ja, ich schwinge den Kettlebell immer noch, was weniger mit meiner (nicht vorhandenen) eisernen Disziplin zu tun hat, sondern mehr mit ebendieser gegenseitigen positiven Verstärkung: »Jetzt hast du gar nicht so schlecht trainiert, da solltest du deine Muskeln auch gleich mit guten Nährstoffen versorgen!«

_Zum Schluss noch ein letzter Aspekt, auf den gerade viele junge Leser mich in Mails aufmerksam gemacht haben. Für den *Ernährungskompass* hatte ich so viel Stoff zu bewältigen, dass ich einen wichtigen Fragenkomplex vollkommen ausgeklammert habe. Denn selbstverständlich geht es bei dem Thema Ernährung am Ende nicht lediglich um unsere Gesundheit, sondern auch um unseren Planeten, um dessen »Gesundheit«, wenn man so will. Wie versorgen wir in Zukunft Milliarden von Menschen mit guter Nahrung, ohne zugleich die Basis dieser Nahrung – unsere Umwelt – zu ruinieren? Die »perfekte« Diät wäre ja letztlich eine, die nicht bloß für uns Menschen, sondern für unser gesamtes Ökosystem »heilsam« ist.

_Auch aus dieser Perspektive sprechen viele Argumente – wie sich aus diversen Untersuchungen und Analysen ergeben hat – für eine gesunde Ernährung (mehr Pflanzliches, weniger Tierisches). Eine stärker pflanzenorientierte Kost belastet das zerbrechliche Ökosystem unserer Erde – Stichworte CO_2-Ausstoß, Wasserverbrauch, Vergiftung der Böden und dergleichen – erheblich weniger stark, als das unsere bisherige westliche fleischzentrierte Ernährungsweise tut.

_Hier nur ein kleines Beispiel aus einer Analyse der Fachzeitschrift *Nature*: Die Züchtung von Rind und Lamm verursacht einen Ausstoß von

Treibhausgasen, der pro Gramm Eiweiß das 250-Fache (!) dessen beträgt, was beim Anbau von Hülsenfrüchten, wie etwa Linsen, anfällt. Ein Pfund Rind sorgt für eine 17-mal erhöhte Wasserverschmutzung im Vergleich zu einem Pfund Nudeln. Statt Tiere zu essen, für die wir erst einmal das Futter in Form von Pflanzen anbauen müssen, sollte man die Pflanzen ohne den Umweg über die Tiere direkt essen. Das wäre weitaus schonender für unseren Planeten.

_Übrigens gibt es auch in dieser Hinsicht einen wesentlichen Unterschied zwischen Fleisch und Fisch: Ein Rind oder Schwein braucht schon allein deshalb extrem viel Futter, weil es ein Warmblüter ist, der ständig fressen muss, um seine hohe Körpertemperatur konstant zu halten. Bei kaltblütigen Fischen und Meeresfrüchten ist das nicht der Fall, sie verbrauchen weitaus weniger Energie.

_Danke an dieser Stelle nochmals an all jene, die mir geschrieben und mich auf Aspekte aufmerksam gemacht haben, die mir entgangen waren, die ich nicht genügend berücksichtigt habe – und die ich jetzt vermehrt und mit großem Interesse verfolge. Bei diesen Leserzuschriften habe ich zu meiner Freude festgestellt, dass mir viele Menschen – gerade auch junge Menschen – in puncto Ernährung und ökologisches Bewusstsein weit voraus

sind. Ja, ich habe den Eindruck, dass die neue Generation für etwas sensibilisiert ist (Stichwort Tierwohl, Stichwort Ökosystem), wofür ich jedenfalls Jahrzehnte blind war. Woher mag das kommen? Woher rührt dieses wachsende Bewusstsein?

_Ich bin mir nicht ganz sicher, habe aber eine Vermutung. Es ist ja wohl kein Naturgesetz, dass großen Teilen der Menschheit mehr und mehr die Augen aufgehen. Daher kann diese begrüßenswerte Entwicklung, glaube ich, letztlich nur von einer Quelle stammen: von uns selbst. Von Ihnen. Wir alle zusammen steuern diesen Prozess. Wir treiben ihn an – oder nicht. Wir stimulieren ihn, selbst wenn es gar nicht unser bewusstes Ziel sein mag.

_Dazu nochmals ein kleines Beispiel aus meinem privaten Umfeld: Neulich hat ein guter Freund von mir seine Ernährung umgestellt und sich einen Kettlebell besorgt (er hatte meinen zufällig auf meiner Terrasse stehen sehen). Mir scheint, so wie sich ein Schnupfen ohne aktive Anstrengung verbreiten kann, so kann sich auch der Wunsch nach einem Kettlebell verbreiten. Der Wunsch, die eigene Gesundheit nicht mehr zu verdrängen oder auszulagern, sondern in die eigene Hand zu nehmen. Das Bedürfnis, bewusster zu essen, bewusster zu leben. Was immer Sie tun, Sie stecken damit – gewollt oder nicht – Ihre Umgebung an, Ihren Partner, Ihre Kinder, Ihre Freunde, Ihre Kollegen, die wiederum ihre Familie, Freunde und Kollegen anstecken. Wenn Sie mich also fragen, wer oder was diesen Prozess der zunehmenden Bewusstwerdung steuert, dann würde ich sagen: Nun, Sie. Sie. Und da Sie die Welt ja nicht auf einmal als Ganzes verändern können, würde ich sagen: Fangen Sie doch klein und bescheiden an. Zum Beispiel heute Abend. In der Küche. In Gedanken treffen wir uns dort – und kochen etwas verdammt Gutes.

Wer treibt diesen Prozess der zunehmenden Sensibilisierung und Bewusstwerdung an? Nun, Sie. Sie. Also machen Sie mit?

Register – Rezepte

Register – Zutaten

(Salz, Pfeffer und Olivenöl sind selbstverständliche Zutaten, sie werden aufgrund ihrer häufigen Verwendung bei den Rezepten in diesem Register nicht aufgeführt.)

221

Bildnachweis

Fotos: Mike Meyer, www.mikemeyer-photography.de

Mit Ausnahme von:
Bas Kast: S. 34; iStockphoto: S. 24/25; Shutterstock S. 30/31

Wir bedanken uns bei Bernhard Reiser (Würzburg)
für die Überlassung des »Küchenhauses«
und bei Daniela Blotenberg (München)
für das »anderswo« für die Fotoaufnahmen.

Layout: Claudia Fillmann

Penguin Random House Verlagsgruppe FSC® N001967

6. Auflage
© 2019 by C. Bertelsmann Verlag, München,
in der Penguin Random House Verlagsgruppe GmbH,
Neumarkter Str. 28, 81673 München
Umschlaglayout: Claudia Fillmann
Umschlaggestaltung: Büro Jorge Schmidt, München
Satz: Buch-Werkstatt GmbH, Bad Aibling
Druck und Bindung: DZS Grafik d.o.o.
Printed in Slovenia
ISBN 978-3-570-10381-4
www.cbertelsmann.de

🏴 Dieses Buch ist auch als E-Book erhältlich.